【改訂版】

マンガでわかる男性学

ジェンダーレス時代を生きるために

行路社

『マンガでわかる男性学』と銘打つ本書は、そのタイトル通り、マンガという日本人の生活に浸透した文化テキストを用いて、男の謎に迫る試みです。

男性学と聞くと、男についてひも解く学問書をイメージする人がいると思いますが、本書は学術的見地から男性学をひも解くために書かれた本ではありません。本書では、男たちの抱える様々な問題をマンガのなかに描き、それらを分かりやすく紹介していきます。他人の問題を知ることで、より多くの男たちに自分自身の問題について考えるきっかけを得てもらうことを目的に書かれたのが本書なのです。

本書には、著者であるぼくが描いた八つのマンガ作品が収められています。八つのマンガ作品を読む方の中には、「こんな話は絶対にあり得ない」と思う方がいるかもしれません。しかし、決して著者の遊び心で在りもしない話を面白おかしく描いているわけではありません。物語を進行させるために、各マンガ作品の内容には一部脚色はあるものの、基本的にすべての作品は数多くの参考文献と実話に基づいて描かれています。二〇一二年から二〇一五年までの四年間にインタビューした、十代から八十代までの一般男性たちの経験談から、共通する問題のみを寄せ集める形で各マンガ作品は描かれています。個人のプライバシーを配慮する意味で、作品のなかの登場人物名、家族構成は架空のものを使用しています。

八つのマンガ作品それぞれの最後には、文章による補足解説が続きます。そこでは、本書でぼくが描いたマンガ作品に関連したマンガ作品を紹介しています。取り上げているマンガ作品は、誰もが知っている有名な作品からマイナーな作品まで幅広く、すべて著者であるぼくの独断と偏見で選んだものです。男を描いた作品を取り上げるとなると、既存のマンガ作品ほぼすべてが該当してしまうため、ここでは八つのマンガ作品のテーマに合ったマンガ作品のみを取り上げ、解説しています。

最後に、本書は「分かりやすさと表層的であること」をモットーに書かれた本です。これは、絵と文字からなるマンガで分かりやすさを重視し、内容をあえて表層的にすることで、読者自らが考え、新たな視野を広げられるよう工夫した結果です。幅広い年齢層の読者が本書を手に取り、男という性について考えるきっかけを得てくれることを願っています。

Contents

マンガ①

男らしさ、それとも自分らしさ？

主な登場人物

中ノ島（なかのしま）　哲平（てっぺい）

少女漫画を愛読する草食男子。現在、高校三年生。兄弟に、高貴（兄）と天満（弟）がいる。町子とは幼馴染。

南森（みなみもり）　町子（まちこ）

哲平の幼馴染。現在、高校三年生。趣味はソフトボール。年の離れた弟が一人いる。

上新庄（かみしんじょう）　皆子（みなこ）

高校三年生。哲平の元彼女。現在、大学三年生の彼氏がいる。

これは一ヵ月前
の話になりますが
僕は見てしまった
のです
自分の彼女が
他の男と抱き合
ってキスをして
いる現場を…
皆子(みなこ)…
中ノ島(なかのしま) 哲平(てっぺい)

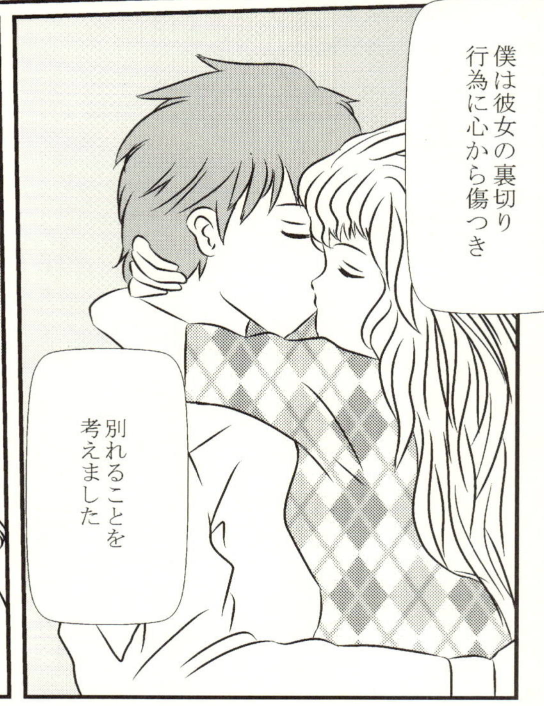
僕は彼女の裏切り
行為に心から傷つき
別れることを
考えました

でも諦めきれ
なかった…

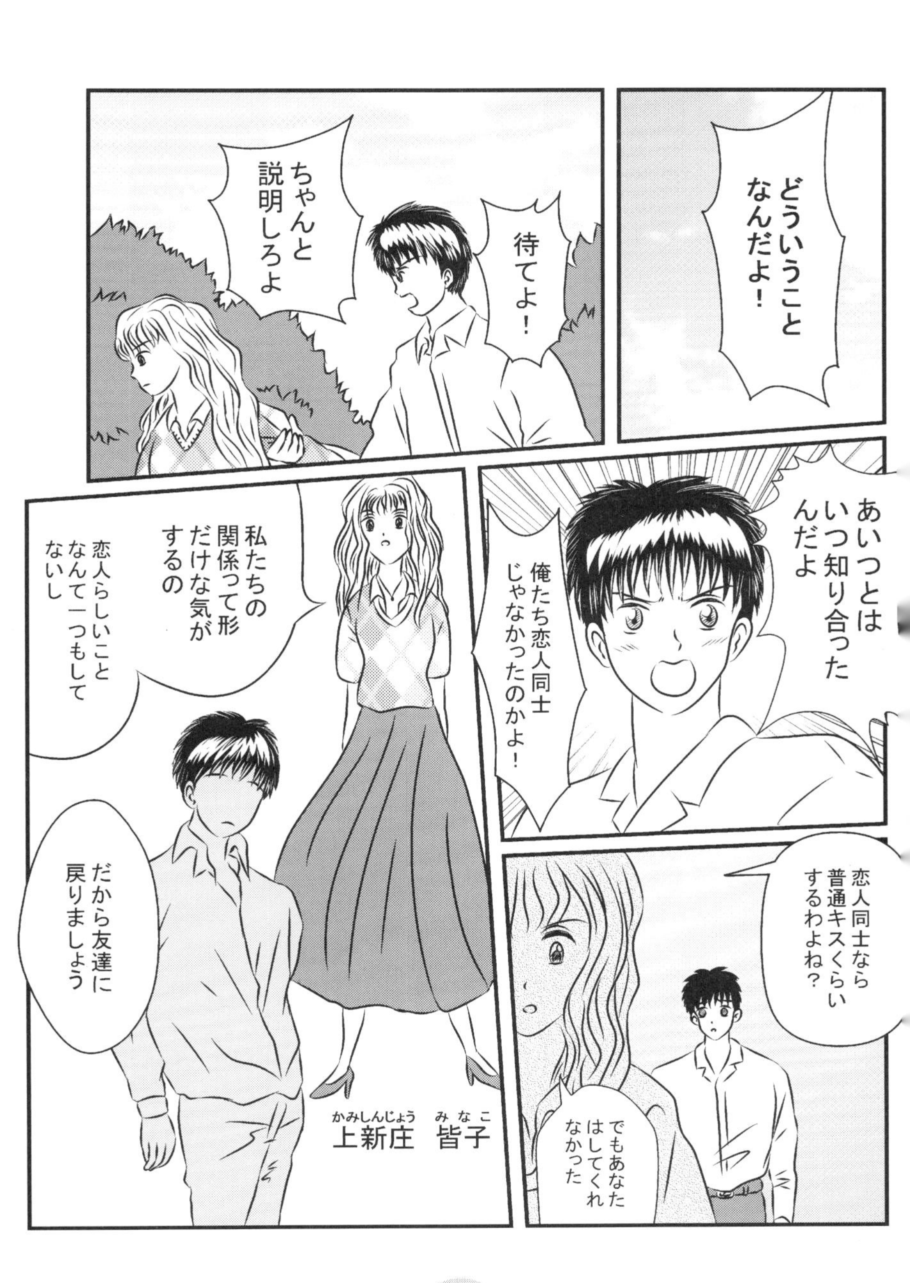
どういうこと
なんだよ！
待てよ！
ちゃんと
説明しろよ
あいつとは
いつ知り合った
んだよ
俺たち恋人同士
じゃなかったのかよ！
私たちの
関係って形
だけな気が
するの
恋人らしいこと
なんて一つもして
ないし
だから友達に
戻りましょう
上新庄 皆子
恋人同士なら
普通キスくらい
するわよね？
でもあなた
はしてくれ
なかった

そんなの嫌だよ…
彼はいつも私のことを引っ張ってくれる男らしい男なの
彼とあなたの決定的な違いを教えてあげるわ
それは行動力の違いよ
抱きしめてくれたりキスしてくれたり愛情表現もちゃんとしてくれる

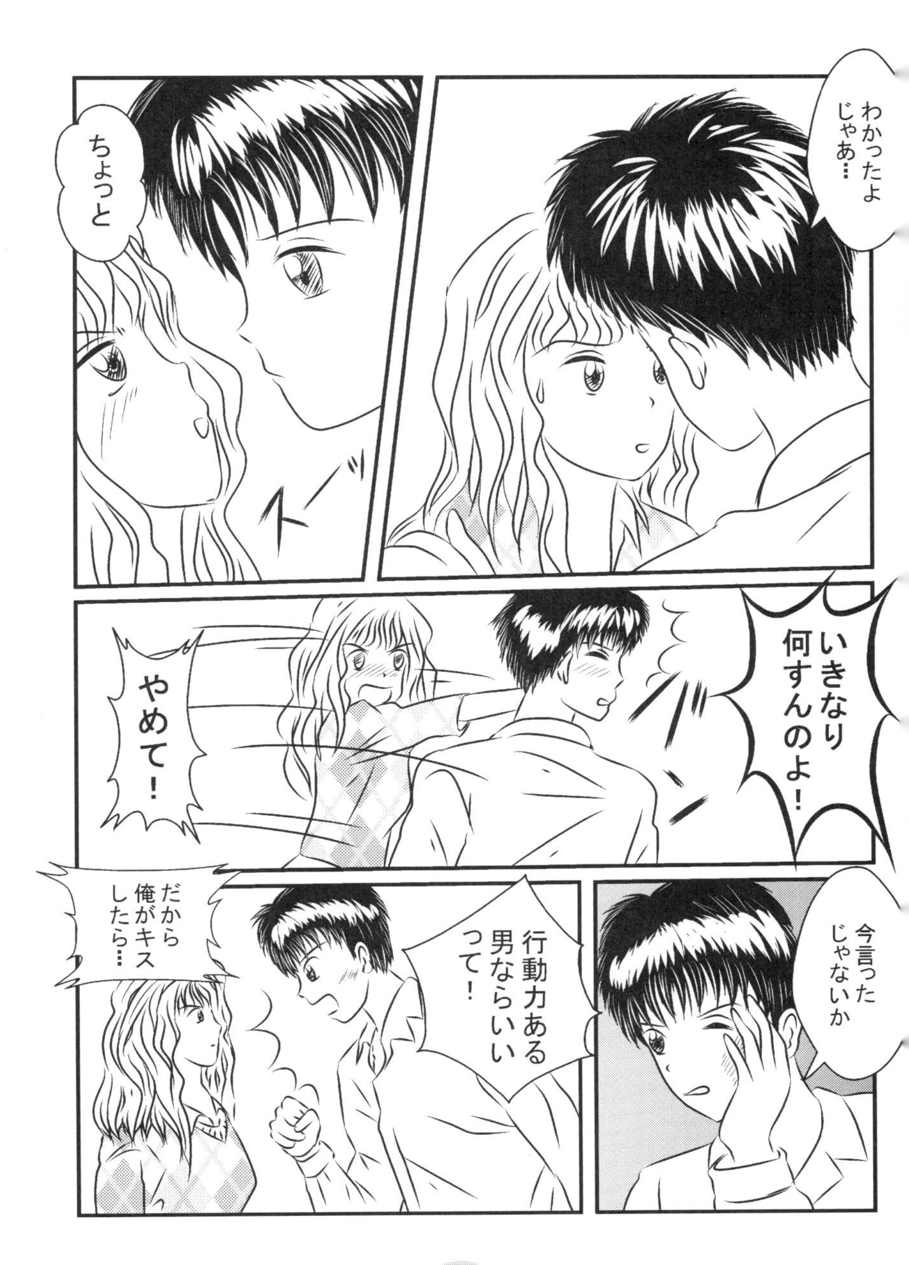
わかったよ
じゃあ…
ちょっと
いきなり
何すんのよ！
やめて！
今言った
じゃないか
行動力ある
男ならいい
って！
だから
俺がキス
したら…

やっぱりあなたは女心を全く分かってないわ
女に言われたからするなんてふざけるのもいい加減にしてよ
キスしたくらいで男らしい男になれるなら苦労ないわね
男らしい男は自ら行動できる男よ！
言われて行動するなんて
女々しい男のすることよ
さよなら

男らしい男…
ぼーっ
確かに俺は男らしい男ではないよな
哲平
ちょっと聞こえてるの？
あっ母さん
何物思いにふけってるの？
何かあった？
母・中ノ島 哲子
なかのじま てつこ
い…いや別に何もないよ
ちょっと考え事してただけだよ
ならいいけど早く食べてしまってよ
後が片付かないから

哲平いる～？
ガチャ
あっ町子
あら町子ちゃんいらっしゃい
勝手にお邪魔します
頼まれてた今週号のりほん持って来てやったわよ
哲平の幼馴染
南森　町子
サンキュー
あ～待ちに待った今週号だ
そう…僕は男なのに人形や少女漫画が好きなんです…

哲平ってほんと女の子みたいよね
特に趣味とか私以上に
そりゃあ確かに好きだよ うさぎのぬいぐるみとかキラキラグッズとかあとスイーツとかも…
って何言わすんだよ！
でも事実じゃん
だから今俺は男らしくなるために努力してんだよ
じゃあまずはりほんを卒業しないとね
そ…それは…
皆子さんと何かあったんでしょ？
図星ね

皆子に言われたんだよ…俺には男らしさが足りないって
男は自ら行動して女を引っ張る者だって…

俺見ちゃったんだ

あいつが公園で他の男とキスしてるとこ
俺が男らしくなればあいつはきっと俺のもとに戻ってきてくれると思うんだ

だからならなきゃならないんだ…男らしく

あんたバカじゃない

皆子さんは何もわかってないわ
男なら男らしくって一体誰が決めたのよ
ってちょっと人の話聞いてるの！
ねえ…哲平
私のことどう思ってる？
何だよ急に？
だから人としてどう思ってるのかなって…
そーだな
なにこの沈黙
もしかして…
こいつと同じかな

はっ？

ちょっと
ゴンタと一緒って
どういうことよ！

それだけ
大切ってこと
だよ
えっ

俺さお前のこと
性別を超えた大切
な親友だと思ってるよ
後はよき
理解者かな

性別を超えた親友
でよき理解者か…

ただいま~

父・中ノ島(なかのしま) 哲夫(てつお)
今日は仕事がはやく終わつてね

あなたお帰りなさい

父さんお帰り
お邪魔してます

町子(まちこ)ちゃん来てたんだね ちょうどいい 一緒にケーキ食べないか

ザッハトルテだ~
美味しそう~

さ〜
食べようぜ
うん

美味いっ

ただいま〜

おっ町子来てたんだ
兄・高貴
弟・天満

お帰り〜
お〜ケーキ

兄ちゃんまたりぼん買ってきてもらったんだろ
お前いい加減少女漫画なんか読むのやめろよ
あ〜うるさいな俺の勝手だろ

なんだかんだ言って町子と仲良いよね
いっそのこと付き合えば？
そ～だなお前たち対照的だしお似合いだよ
余計なお世話だよ
皆子さんって哲平には彼女がいるんだし
コトッ
はいどうぞザッハトルテ
ないない
でも町子は哲平のことどう思ってるの？
わ・わ・私はべ・別に…
哲平のことなんて何とも

分かり
やすいこと

こいつも
相当鈍感
な奴だな
皆子返事ないな…

だって哲平にとって
私は性別を超えた
親友でしかないん
でしょ

あっ
友介から
電話だ
谷町 友介
0000-0000-000
もしもし
よかった~
電話に出て
哲平の親友
谷町 友介
お前には
ちょっと言いにくい
んだけど
俺見ちゃ
ったんだ…
皆子が他の
男と手つないで
歩いてるの
そのことなら
知ってるよ
えっ
そうなの?
この間
公園で見て
しまってね

なら
話ははやいな
親友として
言っておきたい
あの女とは
きっぱり縁を
切れ
大体付き合ってる
相手がいて浮気
するなんてあり
得ないだろ
二人の雰囲気を
見た限りもうあいつ
とお前がよりを戻す
可能性はゼロに近い
一緒にいた奴は
大学生くらいに見えたよ
プレゼントなんか
もらっちゃってニヤニヤ
してたんだぜ

だから皆子(みなこ)とはきっぱり縁を切れ
おい 聞いてんのか?

哲平(てっぺい)? もしもし

急いでどこ行くのかしら?
ちょっと出てくる!
ダダダー
兄ちゃんどうしたの?

哲平(てっぺい)…

会って話せばきっと分かってくれるはずだ
きっと…

来てくれたんだね
一体私になんの用なの？
私たちもう別れたはずよ
皆子（みなこ）
俺 君と別れたくないよ
もう一度考え直してほしい…
あなたってしつこい男ね

そういう所が
男らしくないのよ
いまだから
言うけど
もし付き合う
前にあなたの
少女趣味の事を
知ってたら絶対
付き合ってなか
ったわ！
初デートでいきなり
ぬいぐるみ屋は絶句
したわよ　しかも
お気に入りが中々
見つからないって
一時間も待たされて
可愛いよね
その後の昼食も平気な
顔して割り勘って言うし
もうこの人あり得ないって
思ったわよ
あんた
ほんとに
男なの？

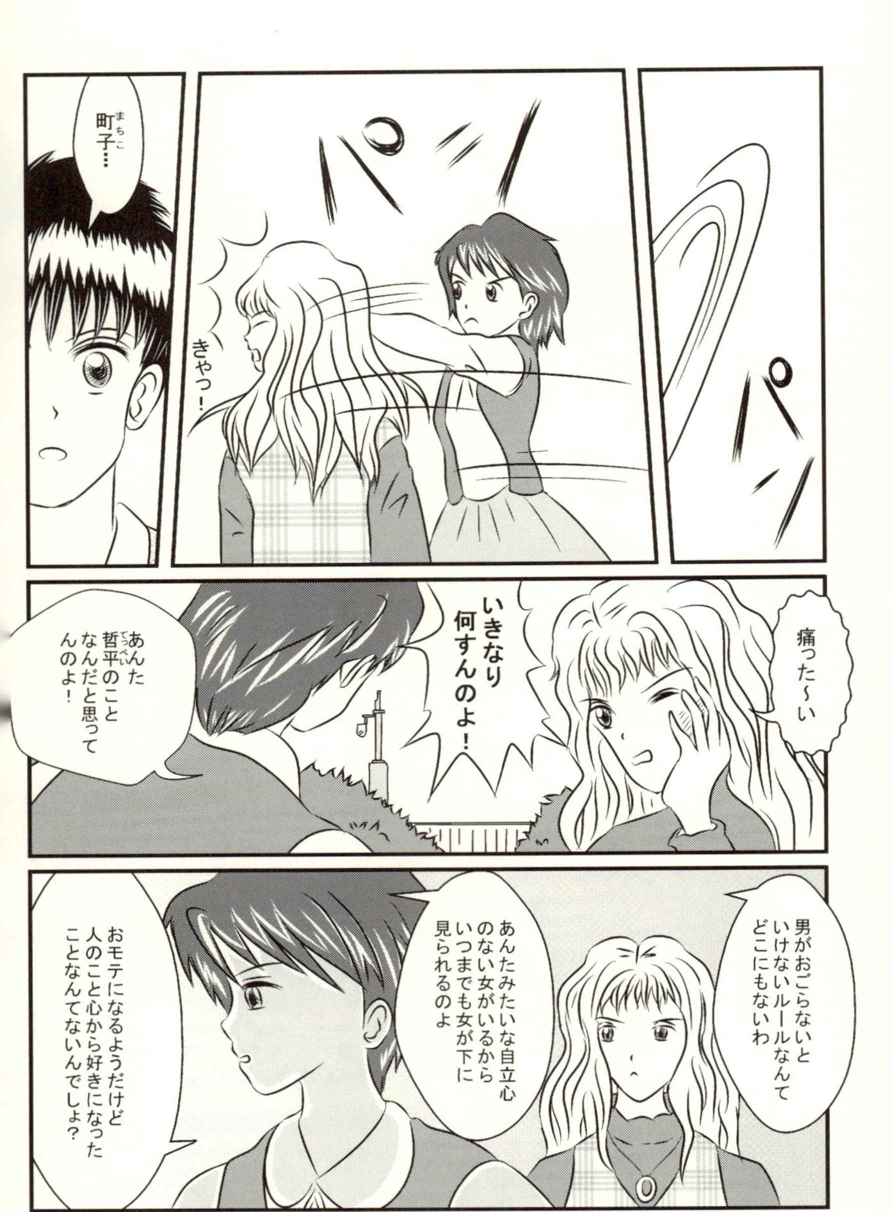
パン
パン
きゃっ！
町子(まちこ)…
痛った〜い
いきなり何すんのよ！
あんた哲平(てっぺい)のことなんだと思ってんのよ！
男がおごらないといけないルールなんてどこにもないわ
あんたみたいな自立心のない女がいるからいつまでも女が下に見られるのよ
おモテになるようだけど人のこと心から好きになったことなんてないんでしょ？

そうね
ないかもしれないわね
でもこれだけは言わせて
どうして好きにもなれない男と無理して一緒にいないといけないわけ？
私にだって相手を「選ぶ」権利はあるはずよ
それをあなたに指図される筋合いはないわ！
自立心のない女と非難してくれて結構
私は私のやり方で恋愛をしていくただそれだけ

だから
あなたと
やり直す気は
もうないわ
こんなに
想ってるのに…
なんかつらくて
涙が出てくる…
ほんとに情けない
男ね　あなたって
泣いてなんとかなる
のは女だけなのよ
あなたみたいな男に
現実の恋愛は無理だと思う
二次元の女の子と疑似恋愛
でもしてたらいいのよ

さよなら
サーッ
哲平…
俺って救いようのない女々しい男だよな…
女々しくて何が悪いのよ
皆子さんには皆子さんの考え方があると思う でも私には彼女の言ってることが正直理解できない… 男だからってなんで女を引っ張らないといけないのよ
ある本で読んだことなんだけど

この世界は男らしい男だけで成り立ってるわけじゃないのよ
確かにこれまでの歴史に描かれてきた男たちは男らしい男たちばかりだった
どういうこと？
ほら歴史に描かれる男たちを考えてみて
みな英雄だったり偉大な政治家ばかりじゃない？
でも実際は違う
これまでの歴史のスポットライトに当てられてこなかった男たち
弱くても一生懸命に生きてる男たちだっているはずよ
黒人奴隷や同性愛者や労働者の男たちみたいに

皆子さんの言ってる男だけが男じゃないのよ
世の中には色んな男がいるの
それでいいじゃない？
ねえ
覚えてない？
昔よく一緒に読んでた漫画
それって『あずきちゃん』のこと？
うん
『あずきちゃん』原作・秋元康 作画・木村千歌 1992年から『なかよし』に連載された少女漫画
主人公・野山あずさを中心に、彼女と同級生の勇之助の恋を描いた作品
私今でも覚えてることがあるの

＊作中であずきちゃんは事あるごとに大好きな勇之助に嫉妬する女の子として描かれている
うちの弟があずきちゃんのことを「面倒くさい」って嫌ってたのに
この女ムカつく！
あずきちゃんの気持ちわかるな～
哲平はすごく共感できるって言ってたじゃない？
でもさ…それって共感って呼べるのかな？
俺があずきちゃんの気持ちが分かったのは彼女に気があつたからだよ
自分の好きな女の子キャラだつたし…
ああいう女の子っぽい子が好きなのね
たぶん…
俺は女の子らしい子が好きなんだと思う
皆子はすごく女らしかったし
悪かったわね！私は女らしくなくて
えっ？
今日のことで分かったことがある

俺が人形や少女漫画が好きなのはたぶん…
女の子のことが好きだからなんだよ
この感情はコスプレーヤーのそれと似てるんだ
でも同化したいだけじゃないでしょ？ー
好きなキャラと体・心の両面から同化したい感情に…
どんな女の子でもいいの？違うでしょ？ー
別に女の子になりたいってわけじゃないんだ…ただ好きなんだ
皆子（みなこ）さんのことまだ好きなんでしょー
だから俺は別に女の子に共感してたわけじゃないんだよ
ーでも言わなきゃー
ねえ哲平（てっぺい）

ー私の本心をー
私 哲平のことが好きなの！
ずっと前から
町子…
慰めてくれるのは嬉しいけど…
そういうのは本当に好きな人に言えよ
慰めでこんなこと言えると思う？ もういい
私 帰る
待てよ 町子

離してよ！
待てって
分かってるわよ哲平が私に気がないことくらい
でも気持ちだけはちゃんと伝えたかったのよ！
お前…本気で俺のこと好きなの？
本気じゃなかったらあんたの後つけてこんなとこまでこないわよ
それならもっと早く言えよ！
えっ…
俺さ…ずっと思ってたよ
町子は俺のことを女友達と同じようにしか見てないって

だって いつも興味なさそうな態度してたし
まさか男として見てくれてたなんて思いもしなかったよ

でもなんで俺のことが好きなの？
男らしくもなければ女の子をリードすることもできない奴だぞ 俺は

ありのままの自分を見せてくれるからよ

うちのお父さんもそうだけど 男の人って絶対本当の自分を見せようとしないじゃない

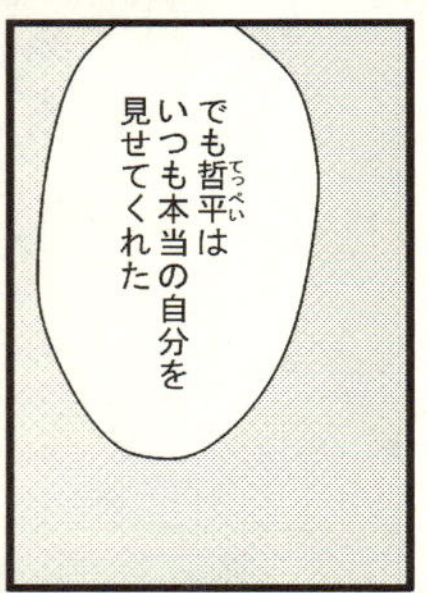
でも哲平(てっぺい)は いつも本当の自分を見せてくれた

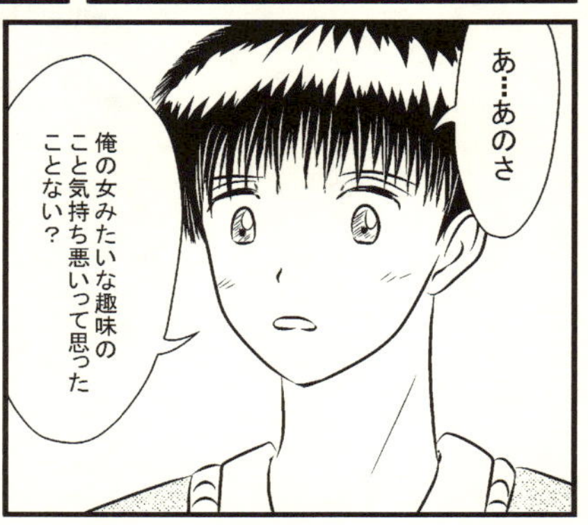
あ…あのさ
俺の女みたいな趣味のこと気持ち悪いって思ったことない？

ないよ 一度も

むしろ
ありのままの自分で
いられる哲平はすごく
かっこいいと思ったよ
そういう男の人って
あまりいないもん
ま…町子
今すぐってわけには
いかないけどさ…
お…俺…
お前の気持ちにちゃんと
答えるから…待っててよ…
うん
その気持ちだけで
十分だよ
さっ 帰ろ
男だからといって
無理に男らしく
生きる必要は
ありません
手つないで
帰ろうよ♪
な・なんか
照れるな
しかし
自分らしく生きることは
時として男らしく生きる
ことよりも困難を伴う
のです
おわり

男は強くて男らしい人間なのか?

長いマンガの歴史において、男は女を守る強いヒーローとして描かれてきました。例えば、『伊賀の影丸』の忍者・影丸、『海のトリトン』のトリトン少年、『北斗の拳』のケンシロウ、『ドラゴンボール』の孫悟空など、強くて男らしい主人公をあげればきりがありません。しかし、マンガのなかで、男たちは常に強くて男らしい男として描かれてきたわけではありません。

現実の男のなかには、強くもなければ、男らしくない男もいます。そして、同じことがマンガのなかの男たちにも言えるでしょう。

例えば、『パーマン』の主人公・須羽ミツ夫は、マントやヘルメットがなければヒーローになれませんし、『聖闘士星矢』の星矢も、生身の人間なわけですから、聖衣(クロス)を装着せずに戦えば血を流します。『ドラゴンボール』の孫悟空のように、サイヤ人として特殊能力をもって生まれた超人的ヒーローは現実には存在しません。多くの場合、男たちは、ミツ夫や星矢のように強くなることを強いられ、仕方なく強い自分を演じているだけなのです。それは読者であるぼくたちが、彼らにそうあるよう望んだ結果でもあるでしょう。言い換えれば、多くの男性読者の心の内に、「男は強く男らしい者であるべきである」といった固定観念があり、それがマンガのなかの主人公たちに投影されているだけなのです。

男が男らしくあることが無意味であることを、分かりやすく説いたマンガがあります。時は昭和二〇年八月一五日、敗戦の日を迎えた日本を舞台に、一人の少年・金太の青春を描いた自伝戦争マンガ『関東平野』（一巻）について少し触れてみましょう。この作品のなかに、元教師で漁師の男が登場します。敗戦ムード漂うなか、戦時中に鉄拳教育を受け、国のために戦ったこの男は、終戦とともに失われた自身の男らしさに苦しみもがきます。そんな男の姿を見ていた主人公・金太の背中をバックに、物語のナレーター（作者）はこうつぶやきます。

「昭和20年の秋に金太が知ったことは男らしさは非常に損をするということでありました」（六〇頁）。

つまり、戦時中に重宝された男らしさも、民主化の進む戦後では無用の長物だということです。『関東平野』の一場面からも分かるように、男だからといって無理に男らしく振る舞い、虚勢を張って生きていく必要はありません。現実の男のなかには、『機動戦士ガンダム』のなかで女性隊員のセイラ・マスに「それでも男ですか！　軟弱者！」と叱咤されるカイ・シデンのように、つらいことから逃げ出して楽に生きたいと思っている者がいるはずです。また、「俺のバイブルは『魁!!男塾』だ！」と言っておきながら、本当は『いちご100%』を愛読している男も少なからずいるはずです。ただ、この問題は男側だけで変えられる問題ではありません。セイラ・マスのように、男に男としての一定の役割を期待する女側の意識も変えていく必要があるのです。

マンガを違う角度から読み直すことで、ぼくたちは、強さや男らしさが実は男に無償で与えられた天性ではないという、当たり前の事実を再度考えるきっかけを得ることができるのです。

変わりゆく男たち

もし男らしさが男に無償で与えられた天性でないとしたら、同じことが女らしさにも言えるでしょう。男らしさと女らしさは、男と女、両性に問うことができます。しかし、男性優位社会では、男らしくない男たちは、しばしば差別や非難の的となります。例えば、『おいら女蛮』の不良少年・女蛮子（すけばんじ）は、女性的な名前のせいで女の子として生活することを余儀なくされますし、『らんま½』の早乙女乱馬は、男と女両方の身体を得たため、幾度も「オカマ」扱いされます。『放浪息子』の二鳥修一にいたっては、見た目や振る舞いが女の子っぽいという理由だけで、転校先の担任教師に女の子と間違われる始末です。

図１　二鳥修一（左）：『放浪息子』1巻、10頁

ここに挙げた主人公たちはみな男であるにもかかわらず、自分の名前や身体的特徴が記号的に示す女らしさと葛藤することを余儀なくされているのです。

近年、男らしさとは対極にある、女らしさと葛藤する男に、新しい名前を与えて具現化する動きがマンガの世界では見られます。その最も分かりやすい例として、『オトメン（乙男）』が挙げられるでしょう。第一巻のなかで、作者の菅野文は、オトメンということばを次のように定義しています。

「おとめん［《乙男》］　乙女的趣味・思考・特技を持つ男性。乙女チック男子達」（五七頁（頁番号なし））。

この作品では、料理や裁縫、スイーツ、少女漫画など、とにかく乙女チックなものを徹底して好む少年・正宗飛鳥が主人公として描かれています。そんなオトメンな飛鳥は、幼少期、男らしくあることを重んじる母親によって、強制的に乙女的趣味と決別することを強いられます。以後、飛鳥は、男らしく生きることを余儀なくされるわけですが、高校に入り転機が訪れます。自分を理解してくれる高校の友人や彼女と出会ったことで、飛鳥は自分自身の乙女なアイデンティティを受け入れ、自分らしく生きることを前向きに考えるようになるのです。

図２　正宗飛鳥（左）と橘充太（右）：『オトメン』１巻、40 頁（頁番号なし）

　この作品で興味深いのは、飛鳥が女の子と恋愛することで、一度は封印した自身の乙女心を取り戻し、日に日に乙女化していくところです。つまり、自分が本当に好きなことを捨て去り、抑圧された状態のまま、偽りの自分で生きていくことは苦痛でしかなく、どんなに自分でそれを抑えようとしても、抑えられるものではないということです。
作中で、飛鳥のクラスメイトでオトメンの名付け親でもある橘充太が、彼女に自分の乙女な一面を見せることをためらう飛鳥に、「本当に好きな人には嘘なんてつきたくないって思うけどな」（一巻、四〇頁（頁番号なし））と、優しく声をかける場面がありますが、ありのままの自分で生きるためには、そんな自分を理解し、後押ししてくれる充太のような同性の友人が必要なのかもしれません。
「草食男子」ということばの生みの親である深澤真紀は、著書『平成男子図鑑』のなかで、「オカン男子」や「ロハス男子」など、様々なネーミングで現代を生きる男たちを表現していますが、こうしたネーミングにまつわる現象は「オトメン」を含め、マンガの世界でも顕著にみられます。例えば、『君と僕。』に登場する、外見は女っぽく、趣味もお菓子作りと、とにかく物腰柔らかい男子高校生の松岡春や、『虹色デイズ』に登場する乙女チックで口下手な男子高校生の羽柴夏樹などが例としてあげられるでしょう。彼らを「草食男子」と一言で表現してしまうことは簡単です。しかし、その内面に目を向けることなく、外面ばかりが記号化されてしまうことはあまりいいことではないでしょう。たとえ見た目が女っぽくても、『ダメ恋前夜』のなかで彼女の下曽根唯を家政婦のように虐げる彼氏（名前なし）のように、内面は女を蔑視する肉食男子かもしれないのですから。

図３　下曽根唯（右）と彼氏（左）：『ダメ恋前夜』32頁（頁番号なし）

ただ、新しいことばが生まれることで、人の考え方が多様化するのであれば、草食男子やオトメンといった新語ができることは、ある意味いいことなのかもしれません。ここに挙げた男たちのように、新しいことばがあることで、自分を理解してくれる同性の友人に恵まれることはあります。『オトメン』の飛鳥に良き理解者の充太がいるように、男という性は、一人の男によってではなく、男同士の関わり合いのなかで、「相互理解」の名のもと、多様化されていくものなのです。

新語は男たちを苦しめもする

一九九〇年代から現代に至るまで、日本社会だけをみると、男の在り方はめまぐるしい変化を遂げてきたように思えます。

一九九〇年代にはハウスハズバンド（主夫）、二〇〇〇年代には先にも取り上げたオトメンや草食男子、さらには弁当男子、二〇一〇年代にはイクメン、男子会といった新語が誕生し、以降、男を消費対象として取り込む動きの加速化に伴い、レギンス男子、美肌男子、日傘男子など、男にまつわる新語が次々と誕生します。

二〇一五年には、XOX（キス　ハグ　キス）という、人気読者モデルを集めて作られたグループが、新世紀のボーイズグループとして注目されていますが、彼らは、男女の性にとらわれない中性的ファッションを楽しむ「ジェンダーレス男子」（性別のない男子）と呼ばれているそうです。

また、同年に、女顔負けの消費力を発揮する独身の男たちを表わすことばとして、「ソロ男（だん）」

という新語が、『結婚しない男たち』の著者・荒川和久によってつくられています。
ハウスハズバンド、草食男子、オトメン、イクメン、ジェンダーレス男子、ソロ男など、これらすべての新語は、男の在り方が多様であることをポジティブに受け止めた結果生まれたことばです。しかし、現実社会には、「男は男らしくある者」「男は金を稼いで家族を養う者」といった、従来型の男性イメージが根強く残っています。つまり、新語の誕生で気持ちよく生きることのできる男がいる反面、そうでない男もいるということです。

新しいことばが作られる背景に、男たちの在り方の変化があることは言うまでもありませんが、こういった変化は表面的変化に過ぎず、内面的に男たちの多くは、今も昔もさほど変わっていないように思えます。むしろ、新語が誕生したことで、偽りの自分を無理に演じなくてはならない状況に追いやられてしまった男たちが少なからずいるはずです。

例えば、イクメンのなかには、女の社会進出に伴い、自分と同じようにお金を稼ぐ妻に対して偉そうな態度が取れず、仕方なく家事育児をしている男もいるでしょう。レギンス男子や日傘男子も、企業側の戦略にまんまと乗せられた男たちが、表面的な自分磨きに励むようになっただけで、だからといって彼らが女と同じ感性、美意識、価値観をもった男であるとは言えません。

先にも述べた通り、日本社会に目をやると、見てくればかりよくても金の稼げない男はダメ男、といった考え方は未だ根強く残っているように思えます。だからと言って、新語が生み出されることはなにも悪いことではありません。ただ、新語の誕生と並行して、現代に生きる男たちの多くは、自分磨きを強いられ、さらに、お金を稼げる良い職にも就かなければならないという、二重苦に直面しているのです。

当事者として考えることの意味

男のことは男が、女のことは女がよく分かっている、と考える人は少なからずいるでしょう。マンガ①のなかでも触れた、『あずきちゃん』には、男女の考え方や行動の違いが顕著に描かれます。

例えば、嫉妬深い女の子と、そんな女心に鈍感な男の子など、内面的な部分で分かり合うことのできない男女の苦悩がこの作品ではしばしば描かれます。女子にモテる小笠原勇之助に、事あるごとに嫉妬心を抱き、物事を悪く考えてしまうあずきちゃん（本名は野山あずさ）に、親友たちが「男なんてみんなウソつきよ！」（一巻、一一頁）と言う場面が定番のごとく描かれますが、果たして、男と女は互いを理解し合うことのできない者同士なのでしょうか。

身体的な違いによって生じる問題（例えば生理現象など）に関しては、性別的な違いによって、理解できないことが多々あるかもしれませんが、相手が同性であろうと異性であろうと、そもそも自分以外の人間を理解することは容易なことではないのです。

図4　野山あずさ（左）と小笠原勇之助（中央）：『あずきちゃん』2巻、13頁

マンガ①　男らしさ、それとも自分らしさ？

自分と異なる他者を、当事者の立場から理解することについて、フェミニストの上野千鶴子は、『実践するセクシュアリティ』のなかで次のように指摘しています。

「あの人があの人の問題を解いているなら、自分は自分の問題を解くしかない、そういうことをひきうけていくしかない、というところに私たちはいるんじゃない？　私たちはそれを「当事者性」と言っているのだと思います」（四八頁）。

男のことは男がよく分かっている、女のことは女がよく分かっている、というのが当事者性ではないのです。自分と他者がそれぞれに問題を抱え、それを口に出して伝え合うことで、「この人はそういう問題を抱えているんだな」と知ることができます。そして、それに触発され、自分の問題に向き合ってみようと思う意志が生まれる、それが当事者性であり、さらに、自分と違う他者を理解する第一歩につながるのです。

関連マンガ案内

赤松健『ラブひな』講談社、一九九九年
あきづき空太『青春攻略本』白泉社、二〇〇九年
朝井リョウ（原作）・まつもとあやか（作画）『チア男子!!』集英社、二〇一二年
天野明『家庭教師ヒットマンREBORN!』集英社、二〇〇四年
樹なつみ『八雲立つ』白泉社、一九九二年
羽海野チカ『3月のライオン』白泉社、二〇〇八年
江口寿史『ストップ!!ひばりくん！』集英社、一九八二年

尾崎衣良『尾崎衣良初期傑作集――ダメ恋前夜』小学館、二〇一七年
落合さより『ほいくの王さま』講談社、二〇一六年
上村一夫『関東平野――わが青春漂流記』小池書院、一九九六年
河下水希『いちご100%』集英社、二〇〇二年
菅野文『オトメン』白泉社、二〇〇七年
木村千歌（作画）・秋元康（原作）『あずきちゃん』講談社、二〇一五年
久保ミツロウ『モテキ』講談社、二〇〇九年
CLAMP『XXX HOLIC』講談社、二〇〇三年
車田正美『聖闘士星矢』集英社、一九九五年
コガシロウ『オネエな彼氏とボーイッシュ彼女』集英社、二〇一五年
サンリオ（原作）・杏堂まい（作画）『サンリオ男子』小学館、二〇一六年
椎名軽穂『君に届け』集英社、二〇〇六年
志村貴子『放浪息子』エンターブレイン、二〇〇三年
杉崎ゆきる『D・N・ANGEL』角川書店、一九九七年
永井豪『おいら女蛮』マガジン・マガジン、一九九八年
武論尊（原作）・原哲夫（作画）『北斗の拳』集英社、一九八四年
堀田きいち『君と僕。』スクウェア・エニックス、二〇〇五年
水城せとな『失恋ショコラティエ』小学館、二〇〇九年
水野美波『虹色デイズ』集英社、二〇一二年
みなもと太郎『ホモホモ7』さくら出版、一九九九年
宮下あきら『魁!!男塾』集英社、二〇〇〇年

山崎紗也夏『シマシマ』講談社、二〇〇八年

＊出版年は単行本・コミック発刊時のもので、第一巻のみを提示しています

男と女

主な登場人物

八尾 萌花（やお もえか）

カフェ・ニューヨークでアルバイトをしている高校三年生。

谷町 友介（たにまち ゆうすけ）

父親と二人暮らしをしている高校三年生。アルバイト先で萌花と出会うことに・・・

もしもし
哲平？
谷町
だけどさ
実はちょっと
報告したいこと
があってね
俺さ！
はじめての彼女が
できたんだよ！
まじか！
やっとお前にも
人生の春が来たな！
でっ
どんな子
なの？
お前の
初カノは
聞きたい？
もったい
ぶんなよ

彼女とはバイト先
のカフェ・ニューヨーク
で知り合ったんだ

萌花さんは
俺らと同じ
高校三年生
ストローは
こうやって
仕事のこととか
親身になって教えて
くれるすごく優しい
人でさ
何より一緒にいて
落ち着く人なん
だよね
だからそんな萌花さん
に少しずつ惹かれて
いったんだ

でっ どうやって
告白したんだよ？

それがさ
最初は大変

があるんだけど
今週の日曜日って空いてる？
別に予定は入ってないけど何かあるの？
ジャ～
じゃあさ俺とデートしてよ！

まただ
変な冗談
言って〜

だから一緒に
デートしようよ

アッハッハ〜
谷町くんって本当
おかしな人よね
人をからかうもん
じゃないわよ
だから
からかって
ないって…

あ〜おなか痛い
でも冗談でも
誘ってくれて嬉しい
わよっ
くっくっくっ
ムッ

だから冗談
じゃないってば！

谷町くん・・・
俺さ・・・今まで女の人と付き合ったことないいんだ
初めてのバイト不安だったけど萌花さんいつも優しく接してくれて嬉しかった
少しずつ好きな気持ちが強くなっていくのが自分でもわかってさ・・・
日曜日行ってもいいわよデート
コトッ
ほっ・・・本当に?
よっしゃ〜!

そして日曜日
萌花（もえか）～こっちこっち
ごめん待った？
全然！でっ・どこ行こうか？
まかせるわ
オーケーじゃあまずは買い物にいこ！
新しい服買おうと思ってるから見立ててよ

どうかな？
すごく
よく似合ってる
なんかお腹
空いたね
夕飯には
まだ早いから何か
軽く食べようか
CAP
CAP
外で食べる
となんで
こんなに
美味しいん
だろうね！
俺たちいつも
バイト先でしか
会ってないじゃん？
だからさ
こういうのって
なんかすごく
新鮮に感じる

俺さ…こんな風に女の子とデートするのはじめてなんだ
だから今日のデートすっごく楽しみにしてたんだ
谷町くん
萌花といると何かすごく落ち着くんだこう…なんていうのかな
俺のことを心身ともに支えてくれるみたいな
そういえば話変えて悪いんだけど谷町くん前に言ってたよね？お父さんに育てられたって
こんなこと聞くのもなんだけど…お母さんのこと恋しく思ってるんじゃないのかなって…

最近
「ママっ子男子」
って呼ばれる男
の人増えてきて
るらしいし・・・
もしかして
谷町くんも
そうなのか
なって・・・

確かにうちは片親だけど
父さんは母さん以上の
役目を果たしてくれた
から俺は全然寂しく
なかったよ

俺思うんだ
よね・・・
男の子が
成長する過程
で母親の存在
が重要だって
フロイト心理学
なんかでも両親
の重要性が説か
れてるしね

男の子は幼少期
母親と多くの時間を
過ごすでしょ?でも
この世の中は男と女
で成り立ってる
そんな社会で
母親と息子の二者
関係だけで育った
男の子はきっと
「男性中心社会」で
は苦労することに
なると思う・・・

うちみたいな
父子家庭を
例にすれば
逆のことも言えるよ
父親と息子の
二者関係
そんな家庭で
育った子は
社会の基準点の
定まらない人間性
を培ってしまう恐れ
がある・・・
でも
心配しないで
俺は決して偏った
考え方しかできない
人間ではないから
あ・・・あのさ

スーッ
サッ
ガ〜カ〜
何急に・・・
私たちただバイト先で・・・
で・・・でもなんか順序がおかしいような気が・・・普通こういうことって付き合ってからするんじゃ・・・
私・・・谷町くんに告られたってことなの？
知り合ってこうしてデートできる仲になった記念
それならいいでしょ？

私と付き合いたいと思ってるの？
さっきのキス無言の告白のつもり
無言の告白って告白は口に出してするものじゃない
ごめんごめん
ってなわけで俺と萌花は付き合うことになったんだ
初デートで二回もキスしちゃったしね

のろけてるな～
でもなんで付き合うことになったのかよく見えてこないんだけど
そもそもその子の一体どこに惹かれたのさ？
う～ん
あえて正直に伝えなかったけど母親的なとこ？

彼女には俺が父子家庭で育った事とか色々嘘偽りなく話したつもりだよ
でも俺は母親を知らずに育ったからやっぱり無意識に母親的な人を求めてるのかも・・・

はぁー、

ってお前
そのこと彼女に伝えてないなら嘘つきじゃん
??
誰にだって言いたくないことあるでしょ・・・

だったら付き合ってる限りそのことは絶対萌花さんに言っちゃダメだぞ！
分かったよ

あ～怒濤の一日だったわ
バイト先で知り合って間もない男の子に告白され
初デートで初キッス
あ～思い出すだけでなんか頭が混乱する
谷町くん一体私のどこが好きなのかしら・・・
やっぱり明日バイトで会ったらもう一度聞いてみよ

あ～暇だ
今日は客が全然来ないね
そうね
聞きたいけど…
はぁ～
聞きにくいな…
ふぁ～
ねえ谷町くん
あっ！
よ～っ哲平！
あっ！
コーヒー飲みに来てやったぞ～

いらっしゃいませ～
町子も一緒だったんだ
来る途中で会ってね
仕事姿板についてきたわね
でっお前の初カノはどこだよ？
あ～これが俺の彼女の八尾萌花さん
一応ここでは俺の先輩だよ
どうもはじめまして
優しそうな彼女できてよかったじゃない
リードしてくれそうな人で何よりだよ
だろ～萌花はしっかりしてすごく俺に優しいんだよ
俺のお母さんって感じだろ？

た・谷町
それだけは
言っちゃ・・・
なんだよ
急になんで
落ち込むんだよ？
やっぱり私の
思った通りだった
谷町くんは私を
女としては見て
なかった・・・
そもそも
私みたいなブス
を谷町くんみたいな
人が好きになる
わけないよね
萌花さん
友介は別に
そういう意味
で言ったんじゃ・・・
別に母親
みたいな人で
いいじゃん？

恋人に母親像を求めて何が悪いんだよ？
別に俺の母親になってほしいなんて一言も言ってないじゃん
私は一人の女として見てもらいたいのよ！
なのに・・・
俺は萌花のこと一人の女の子として好きだよ
でもさっき母親的な存在だって言ったじゃない
じゃあ聞くけど母親は女じゃないの？

男が母親みたいな人を好きになるのって普通なことなんじゃないかな・・・一番身近にいる異性なんだし
俺は異性との経験がないからよく分からないけど・・・

人を好きになるのに何か特別な理由とか必要なのかな？
泣かないでよ・・・
萌花（もえか）は俺と付き合うのはやっぱり無理だと思うの？

無理じゃない！
ど…どうした
んだよ急に
私ね
男はみんな
女のことを顔
でしか選んで
ないと思ってた
だって…私
ブスで太ってるから
今までモテた
ことなんて一度も
ないし…
それは萌花がいろんな
ことを決めつけてるからだよ

えっ
俺さ
人の良さって内面に
あると思ってるんだ
外面だけ良くて
内面が空っぽな人
結構いるしさ
母親みたいな人
って言ったこと嫌
だったら謝るよ
でも俺にとって
母親は未知の存在
だから異性とは変わら
ないんだ
別に萌花に
身の回りの
世話をして
くれる彼女に
なってほしい
わけじゃない
でも・・・
俺の考え方を理解して
もらえないならどうしよう
もないよね・・・もう

理解できる！

萌花

私・・・私
自分が恥ずかしい
谷町くんが
そんなに想って
くれてるのに
一人で勝手に
思いめぐらせて

私 谷町くんと
一緒にいたい！

ずっと一緒に
いたい

萌花（もえか）のこと大切にするから信じてよ

俺は恋愛に関しては超初心者だけど

頑張るからさ

男と女の考え方に違いはあるかもしれません
しかし分かり合えない者同士では決してないのです
おわり

息子と母親の「母子同盟」

マンガのなかでは、しばしばマザコン男が描かれることがあります。例えば、『ドラえもん』の骨川スネ夫、『キテレツ大百科』のトンガリ（原作ではコンチ）、『ちびまる子ちゃん』の丸尾末男、『クレヨンしんちゃん』の風間トオルなど、ここに挙げた男の子たちに共通することは、みな一様に母親と密接な関係にあるということです。マンガのなかで、彼らが母親のことを「ママ」や「母様」と呼んでいる姿は容易に想像がつくことでしょう。

ここで忘れてならないことがあります。それは、スネ夫にしても風間くんにしても、彼らが一方的に母親を求めているマザコン息子ではないということです。マンガのなかでマザコン男が描かれる場合、息子のことを放っておけない教育ママが必ずと言っていいほど対で描かれます。つまり、息子と母親の両者がお互いを求め合った結果、両者が離れられない親密な関係に陥ってしまう原理がそこにあるということです。

著書『マザコン少年の末路』のなかで、上野千鶴子は、男の子と母親の密接な関係について次のように述べています。

「母子密着の背後にあるのは、母子共棲というか母子同盟というか、父親を排除した母子一体の世界ですね」（六〇頁）。

上野が指摘するように、息子と母親の関係を「母子同盟」と考えれば、男の子たちと母親の関係が一方通行的な関係ではなく、相互関係で成り立っていることが分かります。『ドラゴンボール』

に登場する、息子を科学者にしようと奮闘する教育ママのチチと息子の悟飯の関係がまさにこれにあたります。机にかじりついて勉強する悟飯と、それを熱狂的に応援するチチの関係は、まさに母子同盟です。

息子と母親の間に結ばれる母子同盟は、強者と弱者の間に結ばれる主従関係にもよく似ています。ここで言う強者は母親、弱者は息子を指します。スネ夫、トンガリ、丸尾くん、風間くん、悟飯はみな、自分の将来的成功に人並みならぬ期待をかけてくれる母親を失望させまいと、従順な息子を演じているに過ぎず、母親からの過度の期待がなければ、どこにでもいる快活な少年と変わりないのです。

上野が言うように、「育てた息子によって母としてしか女が評価されない」（六三頁）男性優位社会が続く限り、母子同盟は存続し続けるでしょう。男性優位社会において、母親が子供を立派に育て上げることで女としての自分の評価を上げようとすることは、ある意味必然的なことなのかもしれません。

マザコンであることは悪いことではない

マザコン男は、女をよく知らない男なのでしょうか。一人前の男になるということは、女をよく知る男になるということなのでしょうか。

マザコン男たちにとって母親は、異性であると同時に、上野が言うように、同盟を結ぶ同志であると考えると、マザコン男たちが一人前の男として異性の女と付き合うには、母親との母子同盟を解約する必要があるのかもしれません。

マンガのなかでは、母子同盟の解約がしばしば描かれますが、その一例として、『ドラゴンボール』のチチと悟飯の関係をあげてみましょう。

『ドラゴンボール』では、悟飯がある程度の年齢に達すると、極端な教育ママだったチチも、悟飯を自分の思い通りに操ることは諦め、悟飯自身に人生の選択をする余地を与えます。こうして、悟飯は母の望む科学者ではなく、父と一緒に悪者をやっつけるヒーローとして戦う道を選択し、最後には素敵なガールフレンドと巡り合い、幸せな結婚生活を手に入れます。つまり、母ではなく、父と旅に出ることで悟飯は一人前の男になり、母とは違う異性の女と結婚することを果たすわけです。そして、息子との同盟を自ら解約した母・チチもまた、女としての自己価値を自らの力のみで切り開ける女として自立や成長を果たすのです。

マンガ②のなかで、父子家庭に育った谷町友介は、彼女の萌花を「母親のような人」と呼んで怒らせてしまいますが、友介は萌花に自分の母親になってほしいと思っているわけではありません。彼にとって、「母親のような人」は、まだ女性経験のない自分を温かく包み込み、優しく接してくれる人、ただそれだけなのです。

しかし、現実では、付き合っている彼女のなかに母親をみる男は、母親から卒業できないマザコン男として、冷ややかな目で見られてしまいます。上野の言うように、自立という点では、男は母親との同盟関係を解約すべきでしょう。しかし、だからといって、母を想う心までも捨て去る必要はないのです。
人を思いやる気持ちを持てない人間に、他人を思いやることはできません。マンガ『お～い！竜馬』の主人公・坂本竜馬（龍馬）も、幼い頃はお母さんにべったりでしたが、国を動かす立派な男としての成長を果たしているわけですから。今後、男と女がよりよい関係を築くうえで、マザコンであることは何ら恥ずべきことではないように思えます。

男に通過儀礼は必要ない

心理学者のフロイトが考えた「エディプス・コンプレックス」は、男の子が母親を愛するがあまり、父親を殺し、最後は異性である母親に自分についているもの（ペニス）がないことに気づき、去勢不安に陥る、という論理として知られています。母を愛するがあまり、父を殺してしまう部分だけを見ると、エディプス・コンプレックスはマザー・コンプレックス（マザコン）に近い論理なのかもしれません。しかし、去勢不安という点で、先に触れた母子同盟の解約と同じように、男は一人前の男としての成長を果たすために、母から卒業しなくてはならないという強迫観念にかられるのです。
『ドラゴンボール』の悟飯が父と旅に出たことからも分かるように、男は、ある年齢に達すると母親ではなく、同性である父親を模倣するようになります。そして、そんな父親を超えようと努力します。

料理バトルマンガ『ミスター味っ子』の主人公・味吉陽一は、幼くして父を亡くし、母と二人で大衆食堂を営むことで生計を立てていますが、そんな彼のそばには常に彼のことを見守ってくれる父親的存在の男がいます。それは、シェフ・丸井善男です。陽一は、父親のような存在の丸井善男と料理勝負をして見事勝利し、丸井をしのぐ一流の料理人としての成長を果たすのです。

同じような料理マンガ『食戟のソーマ』（一巻）で、主人公・幸平創真が「親父を超える！」（一六頁）料理人を目指すように、男の子が一人前の男として成長を果たす過程において、父親の存在は重要であり、中には、父親を超えるための旅に出る者もいるということです。ここでいう旅は、男の「通過儀礼」とも言い換えることができるでしょう。

図５　味吉陽一（左）と丸井善男（右）:『ミスター味っ子』１巻、154 頁

一人前の男になるための通過儀礼を分かりやすく説いたのが、アメリカの詩人ロバート・ブライです。著書『アイアン・ジョンの魂』のなかで、ブライは、グリム童話で知られる『鉄のハンス』の物語を切り口に、男の子が一人前の男になるためには通過儀礼が必要であることを説きます。ある国の怠け者の王子が、その城の牢屋に囚われている巨人と一緒に城を抜け出し、外の世界で苦労を重ねることで一人前の男としての成長を果たす、というのがこの物語の主な流れですが、この王

子にとっての通過儀礼は、外の世界へと旅立ち、苦労を重ねることを指します。
　男が一人前の男になるために、母親との密接な関係を否定し、通過儀礼の旅に出ることは本当に必要なことなのでしょうか。そもそも、男は一人前の男になる必要があるのでしょうか。行きたくもない旅に嫌々出かけて、無理に男らしい自分になる必要などないのです。なかには、そのような旅に出てしまったことで、女を蔑視することを無意識のうちに自分の内面に取り込み、男性優位社会を是認することを無条件に受け入れてしまうような男になってしまう者もいるはずです。
　マンガ②に登場する谷町友介のように、彼女のなかに母親像を求める男がいてもいいのです。ただ、無条件に自分のことを愛してくれる母親を、都合のいい女として求めてはいけません。それは、男による女の搾取に他ならないからです。『天才バカボン』のパパは妻を「ママ」と呼び、『サザエさん』の磯野波平や『ちびまる子ちゃん』のさくらひろしは妻を「母さん」と呼びます。彼らにとっての妻は、母のような存在であると同時に、自分を男として立ててくれる都合のいい女なのです。

関連マンガ案内

赤塚不二夫『天才バカボン』講談社、一九九九年
臼井儀人『クレヨンしんちゃん』双葉社、一九九二年
大島やすいち『勇太やないか』小学館、一九八二年
GAINAX（原作）・貞本義行（漫画）『新世紀エヴァンゲリオン』角川書店、二〇〇七年
咲坂伊緒『アオハライド』集英社、二〇一一年
さくらももこ『ちびまる子ちゃん』集英社、一九八七年

武田鉄矢（原作）・小山ゆう（作画）『お〜い！竜馬』小学館、二〇〇二年
附田祐斗（原作）・佐伯俊（作画）『食戟のソーマ』集英社、二〇一三年
寺沢大介『ミスター味っ子』講談社、二〇〇一年
鳥山明『ドラゴンボール』集英社、一九九五年
長谷川町子『サザエさん』朝日新聞社、一九九四年
藤子・F・不二雄『ドラえもん』小学館、一九七四年
藤子・F・不二雄『キテレツ大百科』小学館、一九七七年
三浦みつる『The・かぼちゃワイン』講談社、一九八一年
宮園いづみ『突然ですが、明日結婚します』小学館、二〇一四年
柳沢きみお『女だらけ』集英社、一九七三年
羅川真里茂『赤ちゃんと僕』白泉社、一九九二年
渡辺あゆ『L・DK』講談社、二〇〇九年

＊出版年は単行本・コミック発刊時のもので、第一巻のみを提示しています

マンガ③

女好きな男は女嫌い

主な登場人物

中ノ島 久子

高貴の祖母。
夫に先立たれた現在は、高貴の家に厄介になり悠々自適な毎日を送っている。

桜ノ宮（さくらのみや） カヲル（かをる）

絵美と同じ大学に通う大学三年生。文学部に在籍。絵美とは親友関係にある。

日本橋（にっぽんばし） 絵美（えみ）

某私立大学に通う大学三年生。文学部に在籍。やおい作品をこよなく愛す、自称腐女子。高貴とは恋愛関係にある。

中ノ島（なかのしま） 高貴（こうき）

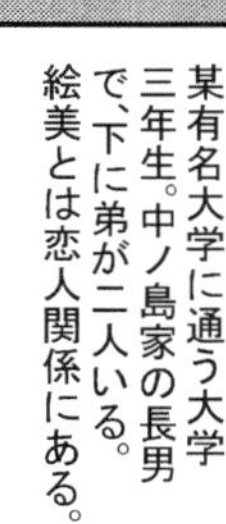

某有名大学に通う大学三年生。中ノ島家の長男で、下に弟が二人いる。絵美とは恋人関係にある。

私と高貴これからどうなっちゃうんだろ…
日本橋　絵美
あんなこと言われるなんて

お前さ
俺に隠れてタバコ吸ったり酒飲んだりしてるだろ
中ノ島　高貴

し・知ってたんだ
でも私もう二十歳過ぎてるし…

それに大学の友達との付き合いもあるからいいじゃない
今は女だってお酒飲んだりタバコ吸ったりする時代なのよ
俺はタバコを吸ったりするような女は嫌いだ
ずっと女の子らしい子だと思ってたのに嘘だったんだな
残念だよ
高貴(こうき)…

私たちもう
別れるしかないのかな…

何一人で黄昏てるんだい？
高貴の祖母
中ノ島久子
ばあさん
別に何もないよ
いや…あるね
男がため息ついて物思いにふけってるときは大抵何かあるもんだ
彼女となにかあったんだろ？
す・鋭い…

絵美の奴が俺に隠れて酒やタバコをやってたんだよ
女がタバコを吸うなんて…
一応わたしも「女」なんだけどね
ばあさんはいいんだよ もう枯れ落ち葉なんだし
誰が枯れ落ち葉じゃ～

あいつがBL好きな腐女子なのは知ってたけど…
まさか酒やタバコもやってたなんてショックだよ
腐女子って何だい？
腐った女子と書いて「腐女子」って言うんだよ
要するにBL好きな女子ってこと
BL？
BLってのはボーイズラブの略称
ほら同性愛をテーマにした漫画や小説があるだろ？あのことだよ

なんでBL好きなだけで腐女子って呼ばれるんだい？
正常な男女の恋愛観がないからそう揶揄されてんだよ

正常な男女の恋愛観？
そんなもんあるのかい？

あ～もううるさいな！自分で調べろ
すぐ切れる子だね…

ただいま～
ガチャ

あっ兄貴とばーちゃんがまた言い争ってる
いつものことだろ
これ以上俺のことに口出すなよ！
ばばぁ

嫌なことがあるといつもこの図書館に来てしまう
本を読むと嫌なことを忘れて現実逃避ができるから…
よっ 絵美(えみ)
ケルアックか？
BL小説と漫画だけかと思ったら米文学も読むんだ？
あっ 桜ノ宮(さくらのみや)くん
同じ大学に通う同級生
桜ノ宮(さくらのみや) カヲル

＊ビート文学:1950年代を代表する作家たちの書いた反社会的小説
ビート・ジェネレーションと呼ばれている

何かあったの？
……
なるほどね
その気持ち分るよ

俺も宝塚さんとうまくいってないんだよね…
彼女にまだ本当のこと言ってないの?
聞いたらショック受けるだろうな…
彼女と付き合えば自分が女が好きかどうか確認できると思ったのに…
逆に自分が男が好きだってことを確信してしまうなんて…
桜ノ宮の彼女
宝塚　聖子
自分のことをもっと知るためにジェンダーの講義とか色々受けてみたけど
結局答えは自分の内にしかないことに気づいたよ
でも学問で知れることもある

そ～だ
この間
フェミニズム
論の講義で
面白い本を
読んだんだ
あった
この本だよ
上野千鶴子・著の
『女ぎらい』
この本の中で著者は
女好きな男ほど実は
「女嫌い」であるって
言ってるんだ
日本の女ぎらい
上野千鶴子
女好きな男が
女嫌い？それ
どういうことよ？
要するに女好きって
ことはイコール女
を性的客体として
見てるってことで
女を搾取する者
つまり女嫌いな
者って論理ね

あと上野(うえの)は
男は「女らしさ」って記号
にも過剰に反応する者
だと書いてる
男は「男らしくない」
ものを嫌悪するって
論理ね
これに似たことを
森岡正博(もりおかまさひろ)が『感じない
男』って本の中で言っ
てるんだ
例えば本当は
男だけど見た
目が女以上に
女らしい人っ
ているでしょ?
男はそういう
男に反応して
しまう生き物
なんだよ
女
男
ミニスカートから見える
美脚がたとえ男のもので
あってもそれが女の脚だ
と錯覚してみれば男は反
応してしまう
もしかしたら
絵美(えみ)の彼氏も同じ
なんじゃないのかな
『女ぎらい』の本
の中の男たちと

女の子が酒やタバコをすることをよく思わないのは
彼が「男らしさ」と「女らしさ」を分けて考えている証拠だよ
絵美の彼って俺と面識あったかな？
たぶんないと思う
明日になれば分かるよ
あっ彼に俺が来るってことは言わないでね
じゃあ明日
なら俺にいい考えがある
明日カフェニューヨークに彼と一緒に来てよ
いいけどなんで？

翌日
お待たせ待った？
いやさっき着いたばかりだよ
で・会わせたい人って誰なんだよ
う・うんちょっとね
なに？俺の知ってる人？
それとも言えないような人なのかよ
違うわよおかしいなまだ来てないみたいね
ほんとにここで待ち合わせしたのかよ？
うん…

てかさ
あそこのカップル
さっきからいるん
だけど
こんな公共の場
でイチャイチャ
しやがって
迷惑だよな
どこ?
あっちに
いるだろ?
あいつら30分前
からあんな感じで
イチャついてるん
だぜ
でもまあ
一緒にいる女の子
の方は可愛いよな

仕草とか女っぽいし控えめで男を立ててるとことか好感もてるよな
あ～いう女は良妻賢母になること間違いないよ

高貴のバカッ!

ザワ
ザワ
な・なんだよ急に大声だして…

高貴ってデリカシーの欠片もないのね 目の前に彼女がいるのに

別に見るくらいいいだろ
タダなんだから

あの～
すみません
あ
あっあなたは今
噂してた美人の…
絵美来てたのね
えっ？
わたしよ
わ・た・し
えっ
私たちどこかで
会いました？
これを取らないと
分からないみたいね

さ・桜ノ宮くん！
なかなかだろ？
俺の女装★
化粧に
一時間もかか
ったんだぜ

あ・あんた男
だったのか！

俺 良妻賢母になれる
んですよね？お褒めの
言葉ありがとうございます
あっ俺は絵美の
同級生の
桜ノ宮です

絵美(えみ)!
最初から
俺のこと
騙してた
のかよ!
ち・違うわ!
私はなにも
ちょっと待って
くださいよ
これは絵美(えみ)
の仕組んだ
ことじゃない
んですよ
俺のアイデア
なんです
高貴(こうき)さんがどういう
反応するか知りたくて
おかげで分かりましたよ
高貴(こうき)さんが女性に求めて
いる「女らしさ」が外面的
なものだってことが

でも高貴さんの気持ちも分かります
ゲイにも多いんですよ相手の外面だけを見る人って
君ゲイなの？

あ・あの～

お取込み中に悪いんだけど俺もう帰ってもいいかな？
京橋わり～すっかりお前のこと忘れてたよ
桜ノ宮の知り合い
京橋香月

この埋め合わせはいつか必ずするよ

2人とも同人サークルの知り合いなのよ
私とはＢＬつながり
へえ～
また連絡すっから
あ～じゃあまたな

あ～なんか
怒る気もうせたよ
俺が君を女と
間違えたことは
認めるよ
でも男だと分かってたら
絶対に反応しなかった
それです！
俺のことを女だと
思ったから「反応」
したんですよ！
「ネカマ」って
聞いたこと
あります？
い・いや…
ネカマは
ネット・オカマ
の略称です
男が女を装って
男性客とメールを
して有料サイトを
使わせるネット
商法です
でも一つ
疑問が
あります
よね？
なんで男性客
は男の演じる
女に引っかかる
んでしょう？

答えは簡単です　それは男が男のことを一番よく分かっているからです
さっき高貴さんが俺に騙されたように
当事者がゆえ分かることがあるんですよ
似たようなことがニューハーフ・バーに通うサラリーマンにも言えます
ただ彼らの面白いところは相手が男だと分かった上で通っているところです
ニューハーフの人たちは女以上に女らしい
そんな彼女たちの「女らしさ」に反応してるんでしょう
だから女らしさってある意味「パフォーマンス」に過ぎないんですよ
同じことは男らしさにも言えます
パフォーマンス…

なんかあいつの言ってたこと説得力あったよな
人の内面って女らしさとか男らしさのような表層的部分だけじゃ分からないのかもしれないな
なんかすごい自己嫌悪に陥るよ
ねえ高貴
ん？
私タバコとお酒やめるね
いややめる必要はないよ
うちのばーさんだって吸ってるし

ただ…
吸いすぎには
気をつけろよ

高貴(こうき)

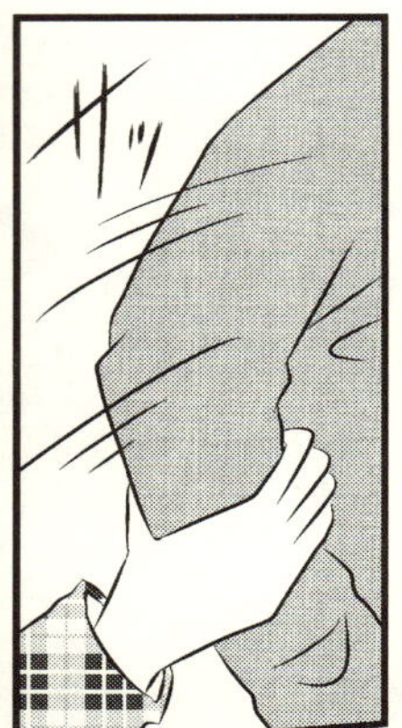
サッ

女ぎらいな男
ほど実は女の
ことが好きなのです
でも体に悪いし
やめれそ～だった
らやめるわ
そ･そうか
いい心がけだ
そしてそんな男
は自己嫌悪を経て
新たな自分を発見
するのです

よかったじゃ
ないか

仲直り
できて

「嫌悪」することは
「理解」することへ
の第一歩なのです
おわり

客体として描かれる女たち

『天才バカボン』のママ、『ドラえもん』の野比玉子、『サザエさん』の磯野フネ、『ちびまる子ちゃん』のさくらすみれなど、日本を代表するマンガ作品のなかに登場する母親たちは、しばしば、夫に尽くす良妻賢母として描かれます。

良妻賢母は、文字通りに理解すれば、男を立ててくれる良き妻であり、良き母です。それは、言い換えれば、男にとって都合のいい女であることを意味します。日々、家事に追われる母親たちは、良妻賢母であることが女としての唯一の価値であるかのように思い込まされた、男性優位社会のなかに埋没した存在なのです。

近年、マンガのなかに描かれる女性像には大きな変化が見られます。これまで母親や恋人といった脇役を押し付けられてきた女たちが、男から独立した、強くてたくましい女として描かれるようになったのです。

ガンダム・シリーズでは、マリュー・ラミアス（『機動戦士ガンダムSEED』）やスメラギ・李・ノリエガ（『機動戦士ガンダム00』）が、艦長として活躍しますし、スポーツマンガでは、百枝まりあ（『おおきく振りかぶって』）や相田リコ（『黒子のバスケ』）が、監督・コーチとして重要な役割を担います。『少女革命ウテナ』では、王子様になることに憧れ、自分を「ぼく」という一人称で語る男装の少女・天上ウテナが、男顔負けの戦いぶりを見せてくれます。

しかし、彼女たちは、本当に男から独立した、強くてたくましい女たちなのでしょうか。

『機動戦士ガンダム00』の女艦長・スメラギは、重度のアルコール依存に苦しむ女として描かれていますし、女監督を務める百枝まりあや相田リコにしても、物語の主体として描かれることはありません。『少女革命ウテナ』に登場する女たちも、シリーズ構成を務める榎戸洋司いわく、「男に守られる女であり、守ってもらえるよう試行錯誤する女」でしかないのです。

『ベルサイユのばら』のオスカル・フランソワ・ド・ジャルジェ、『美少女戦士セーラームーン』の月野うさぎ、『スレイヤーズ』のリナ＝インバースなど、悪者と戦う強くてたくましい女主人公たちにも同じことが言えます。オスカルにはアンドレ、月野うさぎにはタキシード仮面、リナ＝インバースにはガウリイがいるように、彼女たちはみな、守ってくれる男ありきのヒロインなのです。

母親や強いヒロイン以外に、マンガのなかで女たちは、しばしば男を性的に惑わす妖女として描かれます。

例えば、『ルパン三世』の峰不二子は、ルパンのよきパートナーとして、また、紅一点の主要キャストとして描かれますが、彼女に与えられた役目はあくまで、そのたぐいまれな美貌で男を惑わす妖女を演じることです。不二子の劇中での活躍を見れば、その活躍が女の魅力を武器にすることで成り立っていることが分かります。

これ以外に、『キューティーハニー』の如月ハニーが、戦いの最中にたびたび裸体をさらすことや、『GS美神』の美神令子が、戦いに不向きなボディコンスーツをあえて着ていることなど、女主人公たちの描かれ方には、しばしば不合理性が見え隠れします。それは、彼女たちの強さが、少年マンガのヒーローたちの強さを単に女に当てはめて描き直しただけの虚構に過ぎないからです。マンガのなかに描かれる女たちの多くは、男が女に求める価値観を押し付けられる形で描かれているといっても過言ではないでしょう。

女嫌い・女性嫌悪は自己嫌悪

マンガ③のなかで定義したとおり、女好きな男ほど実は女嫌いなのです。『課長島耕作』の主人公・島耕作のように、妻と娘がいるにもかかわらず、他の女と性的関係をもってしまう男は、女を性的対象としてしか見ることができない、女嫌いな男の典型と言っていいでしょう。つまり、女嫌いの「嫌い」は、女を異性として嫌っているわけではなく、女を性の対象として「蔑視」していることを意味しているのです。

『課長島耕作』では、妻がありながら他の女と寝たことを後悔し、自己嫌悪に陥る耕作がしばしば描かれます。ここで耕作は、妻に対して申し訳ないことをした自分の優柔不断さに対して自己嫌悪しているわけではありません。むしろ、情事をもった女が、自分たちの秘密をいつか妻にばらすのではないかと、臆病風に吹かれている自分の「弱さ」や「ふがいなさ」に自己嫌悪しているのです。

著書『女ぎらい』のなかで、上野千鶴子は次のように述べています。

図6 『課長島耕作』1巻、94頁

マンガ③ 女好きな男は女嫌い

「男にも自己嫌悪はある。そのとおりだろう。だがそれにも二種類の自己嫌悪がある。ひとつは自分が男であることへの。もうひとつは自分がじゅうぶんに男でないことへの」（二六八頁）。

島耕作の場合、後者の「自分がじゅうぶんに男でないことへの」自己嫌悪が当てはめられるでしょう。女を嫌悪（蔑視）することで、男たちは男である自分、さらには、男として不十分な自分に対して、自己嫌悪するのです。

また、女性嫌悪の問題は、男に特質した問題ではありません。著書『男はみんな女が嫌い』のなかで、ジョーン・スミスは次のように述べています。

「女性嫌悪は男にだけ見られるものではない。女もまた、自分の文化に広く行き渡ったイデオロギーに浸食されている。一部の女たちは、男性の女性嫌悪の真似をすればうまく生きてゆけるということに早くから気づく」（六頁）。

女性嫌悪の問題は、男対女という限られた文脈のなかだけでなく、女対女という文脈のなかでも考えなくてはならない問題なのです。

「女らしさ」という記号に反応する男たち

女を性的客体としてしか見れない男は、女の表面的な美しさしか見ていません。マンガ①の解説でも紹介した『関東平野』（一巻）の主人公・金太がいい例でしょう。

ある日、金太は、自分がずっと女だと思っていた同級生の銀子が、実は男であることを知ります。

スカートをめくって、自分におちんちんがついていることを明かす銀子に、金太が「どうしてそうなったァ！」（一〇一頁）と口にする滑稽な場面がありますが、おちんちんは急に生えてくるものではありません。そんな金太に対して、冷静沈着な銀子は、「もとからよ」（一〇一頁）とつぶやき、自分の生まれ持った性別が男であることを明言します。金太のように、女の表面的な美しさしか見ていない男は、時として、女装した同性の男を女と見間違えてしまうのです。

男が男に反応してしまう現象を描いたマンガ作品は、ほかにも多くあります。ここで、『らんま1/2』を取り上げてみましょう。

主人公の早乙女乱馬は、水をかぶると女になり、お湯をかぶると男に戻る、クロスジェンダーな身体をもつ男として描かれます。この作品に、九能帯刀という男が登場するのですが、乱馬の通う高校の剣道部の主将を務める九能は、ある日、女の姿をした乱馬に恋してしまいます。

無論、この時点で九能は、乱馬が男であることを知りません。そんな乱馬に九能は、「好

（上）図７　銀子：『関東平野』1巻、100頁
（下）図８　銀子（左）と金太（右）：『関東平野』1巻、101頁

図９　乱馬の夢の中にまで現れる九能帯刀（右）:『らんま½』１巻、121頁

きだ」と告白までしてしまうのです。作中で九能が真実を知る場面は決して描かれませんが、もし真実を知れば、『関東平野』の金太と同じ反応をしたことでしょう。

これに似た現象は、男子高校生たちの青春の日々を描いた少女マンガ『ここはグリーン・ウッド』にも描かれています。

この作品に、色白の肌に髪の毛を長く伸ばした女顔負けの美貌をもつ如月瞬という少年が登場するのですが、男たちはそんな瞬を幾度も女と勘違いして、恋します。そして、瞬が男であることを知り、みな絶望するのです。

図10　如月瞬（中央）:『ここはグリーン・ウッド』３巻、44頁

『らんま½』の九能や、『ここはグリーン・ウッド』の

男たちの反応からも分かるように、女好きな男にとって、好きになる対象の生物学上の性別はさほど重要ではないのかもしれません。なぜなら、彼らの多くが反応しているのは、女らしさという誰しもが体現しうる記号であり、女という性別ではないからです。

関連マンガ案内

青木U平『服なんて、どうでもいいと思ってた。』KADOKAWA、二〇一五年
赤松健『魔法先生ネギま！』講談社、二〇〇三年
阿部潤『パパがも一度恋をした』小学館、二〇一〇年
池田理代子『ベルサイユのばら』集英社、一九七二年
一条ゆかり『正しい恋愛のススメ』集英社、一九九六年
内田春菊『南くんの恋人』青林工藝舎、二〇〇四年
羽海野チカ『ハチミツとクローバー』集英社、二〇〇二年
大島弓子『バナナブレッドのプディング』小学館、一九八〇年
尾崎衣良『深夜のダメ恋図鑑』小学館、二〇一五年
桂正和『D・N・A²』集英社、一九九三年
鴨居まさね『雲の上のキスケさん』集英社、二〇一〇年
河内遙『夏雪ランデブー』祥伝社、二〇一〇年
神坂一（原作）・あらいずみるい（イラスト）『スレイヤーズ』富士見書房、一九九〇年
倉科遼（原作）・井上紀良（作画）『夜王』集英社、二〇〇三年
黒崎みのり『バディゴ！』集英社、二〇一五年

小林立『咲 Saki』スクウェア・エニックス、二〇〇六年
さいとうちほ（原案）・ビーパパス（原作）『少女革命ウテナ』小学館、一九九六年
椎名高志『GS美神』小学館、一九九四年
神葉理世（著者）・ぺんたぶ（原作）『腐女子彼女。』エンターブレイン、二〇〇七年
高橋留美子『らんま½』小学館、一九八八年
武内直子『美少女戦士セーラームーン』講談社、二〇〇三年
筒井康隆（原作）・萩原玲二（漫画）『パプリカ』英知出版、二〇〇三年
手塚治虫『リボンの騎士』講談社、一九七七年
東堂いづみ（原作）・たかなししずえ（絵）『も～っと！おジャ魔女どれみ』講談社、二〇〇一年
那州雪絵『ここはグリーン・ウッド』白泉社、一九八七年
萩原一至『Bastard!!』集英社、一九八八年
葉鳥ビスコ『桜蘭高校ホスト部』白泉社、二〇〇三年
東村アキコ『東京タラレバ娘』講談社、二〇一四年
ひぐちアサ『ヤサシイワタシ 1』講談社、二〇〇一年
弘兼憲史『課長島耕作』講談社、一九八五年
Magica Quartet（原作）『魔法少女まどか☆マギカ』芳文社、二〇一一年
安永知澄『やさしいからだ』エンターブレイン、二〇〇四年
山岸凉子『日出処の天子』角川書店、一九八六年

＊出版年は単行本・コミック発刊時のもので、第一巻のみを提示しています

男の同性愛嫌悪

主な登場人物

中ノ島（なかのしま） 天満（てんま）

スポーツ万能な高校一年生。中ノ島家の末っ子で、上に兄が二人いる。少女漫画が好きな兄・哲平のことをあまりよく思っていない。

鶴橋（つるはし） 弘康（ひろやす）

天満の同級生で親友。興味関心事が幅広く、雑学知識に長けている。

難波（なんば） 誠（まこと）

天満のいとこ。鶴橋とはクラスメイトの関係で、特に仲がいいわけではない。

なあ天満(てんま)
話聞いてる？
あ〜
聞いてる
聞いてる
中ノ島 天満(なかのしま てんま)
俺が何して
も怒らない？
あ〜
怒らない
怒らない
それじゃあ
天満のいとこ
難波一誠(なんば まこと)
?

お・おい！
何しやがるんだ！
何しても怒らない
って言ったじゃん
撤回する
撤回！
だから
離せよ！
もしかして
小５の時俺が
お風呂でしたこと
まだ気にしてるの？
それ以上言うな！
思い出しただけで
身の毛がよだつ！
そんな言い方は
ないだろ～
俺のおかげ
で色々知れ
たくせに★
うるさい
うるさい
うるさい！
いいから
離せよ！
中ノ島(なかのしま)
いるか？

暇だから遊びに来てやったぞ～
ゲームでもやろうぜ～

よ～鶴橋(つるはし)
こ…これには深い訳が…

お・お取込み中に悪かったな…出直してくるよ
天満と誠の同級生
鶴橋(つるはし)　弘康(ひろやす)

待て待て！誤解だ！

変な勘違いするなよお・俺とこいつとは…
な・何もないんだよ！

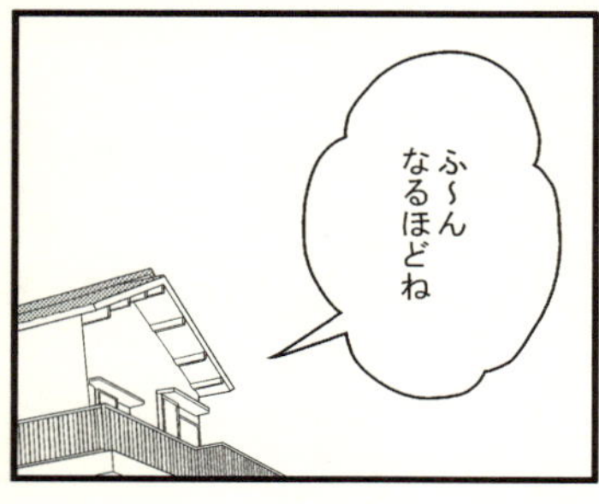
ふ～んなるほどね

そりゃあ壮絶な経験だな
てか誠ってそっちの気があったんだ？
これは小学5年生のときの話だけど
俺と誠はいとこ同士だからよく一緒に風呂に入ってたんだ
ザー
で・事件は起きた…
CHU
何すんだよ！
お・お前いまキスしただろ！
俺たち男同士だろ！
別にい～じゃんか
お楽しみはこれからなんだし
はあ？
その後のことは言わせないでくれ…
あいつの笑い顔を思い出すだけで…

俺の笑い顔がど～したの？
ガチャ
うわぁ！
二人で何話してんの？
ゲームやんなら俺も入れてよ
ああ…いいよ
俺ちょっと飲み物取ってくる
逃げる気かよ？
かもね
お・おい！
冗談だって！
戻って来なかったら承知しね～からな！
はやくゲームやろうよ～

あ～逃げ出したい気分だ…

ガチャ
ピクッ

はぁー!っ

ばーちゃんなんか飲み物ない？
誠と鶴橋が来てるんだ

あっ絵美来てたんだ
兄ちゃん達仲直りしたんだ？
お久しぶり
まぁな

ため息なんかついてどうしたの？
はぁ

誠となんかあったんだろ？
まあ惚れられちまったんじゃ～しょうがないじゃないか
それ以上言うな！
てか何でその事知ってんだよ！
えっなになに？惚れられたって二人はそういう仲なの？
いや～ね 小学校の時に色々あったんだよ
ハハハッ
まあなんだ…簡単に言うとあんたの好きなBLの世界の…
そういう関係じゃね～よ！あいつが勝手に…
別にいいじゃね～か男に惚れられたって
何絵美に感化されてんだよ

俺の気も知らないで
好き勝手言うんじゃ
ね～よ！
俺は男に好かれて
喜ぶような変態に
だけはなりたくないね！
ひっど～い！
人を好きになるのに
男も女も関係ない
じゃない
俺はさっきも
あいつに部屋で
襲われかけた
んだぞ！
じゃれてた
だけよ
そうそう
そんなに嫌
なら遊ばな
きゃいいだろ？
いつも
あいつが
勝手に来る
んだよ

お～い
ガチャ
ジュース取りに行くのにどんだけ時間かかってんだよ
待ちくたびれたよ
わり～
さっきから何かグタグタ言ってるけど突き放すのも大事だってこと分ってないだろ？
それとも本心は嬉しいんじゃ…
鶴橋お前も俺のことを揶揄うのかよ！
あんなホモ野郎に好かれて嬉しいわけないだろ！
ちょっと天満くんひどいんじゃない！
黙って聞いてれば言いたい放題言って
人に好かれて文句言うなんて贅沢よ！
うるさい！
ピクッ

何さ何さ！
みんなして俺のこと
を非難して！
俺が小５の時経験した
ことを何も知らないくせに！
大体こういう話を
オープンにする
こと自体
どうかしてるよ
この家族は！

＊『毎度おさわがせします』:1985年から2年間TBSで放送されたテレビドラマ。
思春期で多感な少年少女たちの内面を描いた作品である。

あんたの言ってることはよく分かるんだけど…
一つ腑に落ちないことがあるんだよ
なんだよ腑に落ちないことって
好かれた相手が男じゃなくて女だったらそれはいい経験になるのかなってね…

＊男の証であるペニスを守ることとも解釈でき、またある文化では宗教的理由から人前で裸になることが禁じられている。

もしかして男の子って異性に興味を持つ前は同性に対する興味のほうが強いんじゃないのかな
確かにそうかもしれない
だって小さい時って異性に対してそこまで強い恋愛感情は抱かないし
小さいときって厳密にはいつのことだよ？
う〜ん小学校低学年のときとか？
でもさ『クレヨンしんちゃん』でも描かれてるけど幼稚園児だって異性である先生に恋したりするじゃん？
先生結婚してよ
たぶん親からの影響が強いんじゃない？
異性同士の両親を見て育つわけだし
なるほど
要するに見聞きした知識にただ左右されてるだけってことだね

思うんだけど
お前の誠嫌いはある種の「刷り込み」によるものじゃないのかな?
両親や周りはみんな異性同士でつながってるわけだし
もし同性が結婚できるような社会で育ってきたとしたら
お前の反応だって違ってたんじゃないかな?
でも実際俺の育った社会は異性愛が中心で成り立ってるじゃないかよ
でも今は違うじゃん
2015年に全米で同性婚は合法化されたんだし
いいことを教えてやろう

19世紀半ばまで「同性愛」って概念はそもそもなかったんだよ
この概念が作られたことで同性間の恋愛が異質なものとして捉えられるようになった
つまり新しい言葉が新しいルール(規範)を作る論理だよ
19世紀の性科学の発展によって「同性愛」という概念が生み出された
昔の日本では性的関係を暗示する「愛」って言葉の代わりに「色」って言葉が使われていた
「色」は江戸時代では肉体的・精神的関係両方を指す言葉として使われ
男と経験した男が一人前の男であると考えられていた
さらに男同士の色事は世間からは受け入れられてさえいた
愛
LOVE
色
Color
そしてこうした同性との肉体的・精神的関係は同性愛とは呼ばれず
男色
男色と呼ばれていたんだ
＊男色はしばしば英語でsodomy(肛門性交を伴う同性間の性愛)と訳されるが誤訳である

同士の色恋は「衆道」ともいう

＊小姓:将軍の身の回りの世話をする少年たち

陰間茶屋:少年たちが売春を行っていた場所で無論看板などを掲げての営業はしていなかった

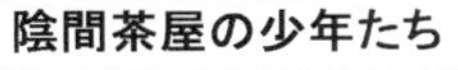

＊当時の男娼は下は12歳、上は20歳と幅広く、多くは20歳で引退す

飛子:フリーで売春をする出張型の男娼

陰子:売春のみを行う現代でいうウリセン・ボーイ

色子:舞台役者兼男娼

飛子　陰子　色子

＊現代のゲイバーのスタッフは店子(みせこ)と呼ばれている

＊ウリセン:少年たちが男相手に売春する職業を指す言葉(英語ではgay for pay)

もちろん江戸以降も男色文化は違う形で続いたんだ
例えば新撰組なんかがいい例だね

新撰組の土方歳三と彼の小姓だった鉄之助
この二人も男色関係にあったらしいよ
大島渚監督の映画『御法度』(1999)にも新撰組の同性愛は描かれている

まじで？
学校でそんなこと習わなかったぞ

明治時代の硬派男児たちの間でも男色は流行ってたのよ

それになにも日本だけじゃなくて世界各国にそういう男文化はあったのよ
ミケランジェロ
アルチュール ランボー
レオナルド・ダ・ヴィンチ
トーマス マン
オスカー・ワイルド

さすがＢＬ好きだけあって詳しいな
好きこそもののの上手なれだな

でもさ人が同性愛に寛大だった時代は何で終わっちゃったの？

暴君ネロの話を聞いたことある？男女を愛した両刀使いで有名な皇帝ネロ
ネロのいたローマ帝国に禁欲主義のキリスト教が入ってきはじめた頃から男色文化は衰退していったつまりキリスト教の流布＝同性愛文化の衰退これは世界に共通している
皇帝ネロは夜ごと宮廷に人を呼んでは性的遊びを楽しんでいた

じゃあキリスト教に
感謝しなきゃな
そのネロって
やつの変態さは
誠そっくりだな
そういう
差別発言は
やめなさいよ！

そうだぞ
中ノ島
現に今の時代
ゲイの人たちは社会
に好意的に受け入れ
られてるじゃんか

うるさい！
俺は誠みたいな
変態野郎は絶対
認めない
からな！
性的な
ことばかり
考えてるよう
な奴と俺は
違うんだ！

何度も言うけど俺はあいつに襲われかけたんだぞ！
あの変態野郎に！
あっ

誠…

そんなに嫌なら直接言ってくれたらよかったのに

お前いつも普通に接してくれてたから
嫌だったなんて分からなかったよ

じゃあ直接嫌味言ってたら今日みたいなことはしなかったのかよ?
「キモイから近寄るな」って直接言えばよかったのかよ?

せっかく忘れてた小学校のときの嫌な思い出を…今日のお前のせいで思い出してしまった
もうこれが最終警告だ次にあんなことしたら俺はお前と絶交する

嫌な思いさせて
ごめん…

天満君
あなたこれで
本当にいいの？
そうだよ
誠に謝れよ
そうだそうだ

ほっといて
あげなよ
天満の言い分
にも一理あるよ
今は江戸
時代じゃ
ないんだ
友達でいた
いんなら
相手に手を
出しちゃい
けない
誠はそのことを
理解しなきゃいけない
ただホモや変態
呼ばわりはよく
ないよ
あんたに人を
拒否する権利
はあっても
全否定する
権利はない

思うんだけど
男好きって一種の
「フェティシズム」な
んじゃないかね?
フェティシズムは性的嗜好を指す言葉で「マゾ」や「サド」も含まれるんだ
匂いフェチやデブ専
老け専 人の好みは
多種多様なんだよ
フェティシズムも一理
あるけど私思うんだ
男好きの男って
基本的に自分
好きなんじゃ
ないのかなって
ナルシシズムって
言葉があるように
自分磨きをする人が
ゲイには多いらしいし
それって一種の自己愛
なんじゃないかな
自分をよく見せたい
って点では女性にも
共通するけど…
誠くんが
ナルシストか
どうかは分か
らないけど…
恐らく誠くんは
自分がゲイである
ことを隠して生き
たくないのよ

人を好きになることって自然なことなんじゃないかな？
ただ差別するんじゃなくて相手を受け入れた上で断る勇気があってもいいと思う
一人の人間として受け入れて
それでも好きになれないなら仕方ないけど
なぜ好きになれないのかその理由をもう少し考えてみてもいいんじゃないかな
お前のその不細工な顔たまらなく好きだな〜っ
おわり

マンガのなかに描かれる同性愛

古くから、マンガのなかには同性愛が描かれてきました。『風と木の詩』や『トーマの心臓』など、男同士の同性愛を題材にした名作は別として、同人誌として発行される同性愛をテーマにした作品は「やおい」と俗称されます。ここでいう「やおい」は、「ヤマなし、オチなし、意味なし」の頭文字を取って作られた造語です。『櫻の園』、『少女革命ウテナ』、『マリア様がみてる』など、女同士の同性愛を題材にしたマンガは「百合」と俗称され、これらのジャンルでは、しばしば、現実世界ではあり得ないような人間関係が、過激な性描写をもって表現されます。

男の同性愛を扱った作品のなかには、「ショタ」と呼ばれるジャンルがあります。このジャンルでは、『世界ボーイズラブ大全』の著者・桐生操のことばを借りて表現するなら、「男でも女でもない、その狭間にある美しさ」（五頁）を具現化した少年たちが描かれます。

図11　金田正太郎（右）：『鉄人 28 号』1 巻

ショタの語源は、マンガ『鉄人28号』に登場する主人公の少年・金田正太郎の名前にあるとされており、正太郎を省略したことばとしてショタが使われています。また、性愛の対象が幼女・少女の人をロリコンと呼ぶことに対して、男児や少年を好む人のことをショタコンと呼ぶことがあります。

同性愛を題材にしたマンガ作品は、異性愛を基盤

マンガ④　男の同性愛嫌悪

にする社会の常識を覆すような、複雑な人間関係を描く傾向にあります。
例えば、『幸運男子』では、親の再婚で一緒に生活をすることになったノンケ（異性愛者）の中井斑とゲイの開原すばるが、互いの性的指向の違いを乗り越えて恋愛関係を築く、現実ではあり得ないような話が展開されます。また、『純情ロマンチカ』（一巻）では、ノンケ少年・高橋美咲が、自分に言い寄ってくるゲイの年上男・宇佐見秋彦を、「気持ち悪ィんだよ」（一四頁〔頁番号なし〕）と詰っておきながら、あっさり彼の手中に落ちてしまいます。
こういった、現実ではあまり目にしない人間模様を描いたやおい作品を、人間の性的欲望を満たすためだけに存在する稚拙で低俗なポルノであると考える人はいるでしょう。しかし、異性愛をテーマに扱った作品においても現実ではあり得ない人間模様が描かれることはあるのですから、やおい作品に描かれる複雑な人間模様を、絶対的に非現実的なものであると断言することはできません。
性の多様化が進む現代社会において、人の性を異性愛のみに問うことは、もはやできないのです。二村ヒトシらの対談集『オトコのカラダはキモチいい』のなかで述べられているように、肛門性交といった、ペニス以外の性感帯を発見し、そのような未知との遭遇を経て、多様な性的指向を受け入れられる新たな自分に目覚める男は、現代、増える傾向にあるのです。
同性愛を題材にしたマンガ作品は、人間の性的指向が、異性愛中心社会の常識を覆すほどに複雑であることを実直に見せてくれているのではないでしょうか。

異性よりも同性が大切な時期

マンガ④のなかでも触れましたが、男の子の長い人生において、異性よりも同性が大切な時期があります。

小学校低学年の時に、好きなマンガに登場するヒーローに強い憧れを抱いたことや、常に時間を共にする同性の親友に特別な感情を抱いたことのある人は少なからずいるでしょう。その例として、『ちびまる子ちゃん——大野君と杉山君』(コミック版)に登場する大野けんいちと杉山さとしの関係を取り上げてみましょう。

主人公・まる子(さくらももこ)の通う清水市立入江小学校三年四組の名コンビ、大野君と杉山君は、共にサッカーが好きな小学三年生です。スポーツ万能で正義感の強い大野君と杉山君は、たびたび意見の不一致で喧嘩をすることはあるものの、学校では常に行動を共にする親友同士で、クラスメイトからの信頼も厚く、二人の間に女子が入り込む隙間は全くありません。

そして、そんな熱い友情で結ばれた二人の将来の夢は、船乗りになって世界を旅することです。クラスで発表する将来の夢についての作文で小学生ながら、「大人になってもこの決意は変わりません」(一八頁)と胸を張って互いの夢を実直に語れる二人の真剣さを目にすると、大人になってもこの二人はずっと一緒にいるのではないかと思えてきます。

しかし、三年生の三学期が始まってすぐ、二人の関係を引き裂く出来事が起きます。それは大野君の転校です(現在もフジテレビ系列で放送されているアニメ『ちびまる子ちゃん』の時代設定は小学校

図 12　杉山さとし（左）：『ちびまる子ちゃん――大野君と杉山君』118 頁

図 13　大野けんいち（左）：『ちびまる子ちゃん――大野君と杉山君』123 頁

三年生のままなので、大野君は転校しません）。ただ転校するだけであれば文通をしたりして連絡も取り合えますが、ここで注目すべきことは、離ればなれになっても二人で決めた夢は変わらないと、口に出してはっきり言ってほしかった杉山君に対して、素直に自分の気持ちをことばに出せない硬派男子の大野君が言った一言です。

「おまえみてえなわからず屋と大人になるまでいたくねェよ」（一一六頁）。

自分にとって特別な存在である大野君の不本意な一言を純粋に受け止めてしまった杉山君は、一粒、小さな涙を流します。

険悪な二人の関係を見かねたまる子は、大野君に杉山君が泣いていたことを伝え、そのことを知った大野君は、抑えていた自分の素直な気持ちが解放され、同じく涙を流すのです。

自分の気持ちに素直になれない大野君の杉山君に対する態度は、好きな男子に素っ気ない態度を取ってしまう恋する乙女のそれと似ています。

まる子のおかげでお互いの本当の気持ちを伝え合うことのできた二人は、再び親友同士に戻り、大野君のお別れ会では、船乗りになって旅をする夢をクラスメイトみんなの前で再度発表します。以後、二六歳になった二人は船乗りの夢から一転、宇宙を目指して、大野君は物理学者、杉山君はパイロットとして、同じ研究所で働き、小学生のときに結んだ約束を違う形で果たすのです。

本作のなかのエッセイで、作者のさくらももこは、自身の小学生時代の思い出を次のように振返っています。

「わたしが小学校時代を過ごしている間に、ああいうような気の合ったコンビが何人もいました。そして片方が転校してしまう、という切ない別れをしたコンビも何組かありました。(中略)大野君と杉山君は男の子の真剣さやひたむきさや、切なさを全部まとめたような子達です」(一五八、一五九頁)。

大野君と杉山君たちのように、小学校時代に、同性の親友を異性以上に特別な存在として大切にしていた人は少なからずいるはずです。そして、中には、この二人のように、共に誓い合った夢を実現させた人もいるでしょう。性的関係がないことを除けば、この二人の関係は同性愛のそれと大して変わらないように思えます。

同性愛嫌悪は理由ある嫌悪

一般的なマンガ作品の多くでは、同性愛嫌悪の問題はあまり扱われていません。『キン肉マン』のオカマラス（恐竜）、『おぼっちゃまくん』の怖賀リータ、『南国少年パプワくん』のイトウくん（カタツムリ）、『ドラゴンボール』のブルー将軍、『クレヨンしんちゃん』にしばしば登場するオカマのキャラクターたち、『のだめカンタービレ』の奥山真澄など、マンガ作品のなかでは、しばしばオカマのキャラクターが面白おかしく描かれることがありますが、これらオカマキャラクターたちが作中で蔑視されることはなく、むしろ、彼らは周囲に溶け込み、受け入れられる生き物・人間として描かれます。

マンガのなかで同性愛嫌悪の問題があまり扱われないのはひとえに、同性愛を題材にした作品が、やおいや百合といった特定のジャンル内で、それを求めている人のみを対象に作られているからです。また、同性愛を題材にした作品では、多くの場合、主人公はゲイですし、主人公の恋人役やマイナーな登場人物も、みなゲイであることがほとんどです。ですから、そこは同性愛のみで満たされた、同性愛嫌悪の必要ない楽園なのです。

しかし、同性愛嫌悪を描いた作品が全くないわけではありません。例えば、『西洋骨董洋菓子店』のように、ノンケ（異性愛者）の男に恋してしまうゲイを描いた作品では、しばしば同性愛嫌悪の問題が明示的に描かれます。

この作品は、ゲイの男子高校生・小野裕介が、同級生でノンケの橘圭一郎に告白するシーンでは

図14　橘圭一郎：『西洋骨董洋菓子店』1巻、8頁

じまります。勇気を振り絞って告白した裕介に対し、圭一郎はこう言い放ちます。

「気持ち？わりーよ。ゲロしそーに気持ちわりーよ!!早く死ね　このホモ!!」（一巻、七、八頁）。

以後、裕介は心に深い傷を抱えたまま生きていくわけですが、成人後、とあることから圭一郎と再会し、裕介はパティシエとして圭一郎の経営する洋菓子店で働くことになります。

利害関係のもと、共に働くことで、圭一郎の裕介に対する同性愛嫌悪は緩和されていきますが、冒頭で圭一郎が裕介に放った感情的なことばからもわかるように、ノンケの男にとってゲイの男から好かれることは、やおいマンガが描いてきたような愛や喜びに満ちたものでは決してないのです。

しかし、ノンケの男とゲイの男がうまく関わり合っていく様を描いた作品はいくつか存在します。

例えば、男子高校生のごくありふれた日常を描いたマンガ『ゆくところ』では、ゲイの男子高校生の小泉が、同級生で小児麻痺の持病をもつノンケ少年・湊に恋をしますが、この作品では、『西洋骨董洋菓子店』のような露骨な同性愛嫌悪は描かれません。

『ゆくところ』で最も印象深いのは、父親のアルコール依存などで崩壊した父子家庭に育ったゲイの小泉が、小児麻痺の湊に言ったことばです。
「『障害者』ってどんな感じ？お前の劣等感好きだよ」（一九一頁）。
つまり、ゲイである小泉にとって、障害者である湊は、社会的マイノリティという点で同志なのです。
そんな小泉は、湊を好きな気持ちが抑えきれず、事あるごとに彼にアプローチをかけ、最後には性的欲求を抑えきれず、彼を襲おうともします。しかし、湊によってことごとく拒否されてしまうのです。
以降、二人はしばらくの間、疎遠な関係になるのですが、すさんだ家庭で育った小泉を放っておけない湊は、小泉をゲイだと理解した上で、よい友達として見守ることを選択します。
ここで一つ言えることは、ゲイでない人間に恋をしてしまう側にも、少なからず非があるということです。

図15　小泉（左）と湊（右）：『ゆくところ』191頁

『ゆくところ』の小泉のように、自分と違う性的指向をもつ相手に、理性抜きの本能的な性的アプローチをかけることは、男が女を性の対象として搾取することと同じことなのです。
同性愛嫌悪は、多くの場合、ノンケの男がゲイの男に性的に搾取されるのではないかと恐怖することから生じます。また、ノンケの男が自分もゲイとして見られてしまうのではないかと危惧することからも生じます。

男同士の関係が、恋人同士の関係にも似た親密さを帯びるとき、ノンケの男たちはゲイを差別・嫌悪することで、自身の異性愛性を誇示しようとするのです。また、同じことが、ゲイであることを隠して生きるゲイたちにも言えます。彼らもまた、同志を差別・嫌悪することで、自身の同性愛性を隠ぺいしているのです。

関連マンガ案内

秋里和国式『TOMOMI』小学館、一九九六年
GAINAX（原作）・貞本義行（漫画）『新世紀エヴァンゲリオン』角川書店、二〇〇七年
鎌谷悠希『しまなみ誰そ彼』小学館、二〇一五年
黒娜さかき『青春ソバット』小学館、二〇〇八年
高河ゆん『LOVELESS』一迅社、二〇〇二年
小林よしのり『おぼっちゃまくん』小学館、一九八七年
さいとうちほ『とりかえ・ばや』小学館、二〇一三年
さくらももこ『ちびまる子ちゃん——大野君と杉山君』集英社、一九九一年
高口里純『幸運男子』講談社、一九九一年
田亀源五郎『弟の夫』双葉社、二〇一五年
竹宮惠子『風と木の詩』小学館、一九七七年
つゆきゆるこ『ストレンジ』リイド社、二〇一七年
永井三郎『スメルズライクグリーンスピリット SIDE : A』ふゅーじょんぷろだくと、二〇一二年
中村春菊『純情ロマンチカ』角川書店、二〇一二年

二ノ宮知子『のだめカンタービレ』講談社、二〇〇二年
萩尾望都『トーマの心臓』小学館、一九七五年
ひぐちアサ『家族のそれから――ゆくところ』（『ゆくところ』所収）講談社、二〇〇一年
ふみふみこ『ぼくらのへんたい』徳間書店、二〇一二年
安彦良和『我が名はネロ』中央公論新社、二〇〇三年
よしながふみ『大奥』白泉社、二〇〇五年

＊出版年は単行本・コミック発刊時のもので、第一巻のみを提示しています

マンガ⑤
男同士の絆

主な登場人物

難波（なんば） 誠（まこと）

悩み多き高校一年生。日本橋絵美から紹介された桜ノ宮と親しくなり、彼に対して特別な感情を抱くようになる。

宝塚（たからづか） 聖子（せいこ）

某名門女子大に通う大学三年生。文学部に在籍。愛読書は『風と共に去りぬ』将来の夢は小説家になること。

桜ノ宮（さくらのみや） カヲル（かをる）

某私立大学に通う大学三年生。文学部に在籍。彼女の宝塚聖子とは小説愛好会で知り合う。

ルンルン
お待たせ
今日はどこに連れてってくれるのかしら？
たからづか　せいこ
宝塚　聖子
さくらのみや
桜ノ宮　カヲル
行きつけの洋食屋を予約してあるからそこでもいいかな？
ワインに合う料理が定評な店なんだ
わぁ楽しみ！

洋食屋
SHIRO
満市場
洋食屋
いらっしゃいませ
昔ながらの洋食屋って感じね～
・ほたての包み焼
・白身魚のウニソース
・大根サラダ
・ししゃものフリッター
・牛ヘレちょっとステーキ
・ごぼうのフライ
・ロールキャベツ
・前菜の盛り合わせ
・生ハムサラダ
・ナスのミンチ詰フライ
・ビーフシチュー
・木の子のオムレツ
・ごぼうの牛肉ソテー
・シロー風牛タタキ
シローセット
A.エビフライとステーキ
B.エビフライとハンバーグ
C.オムレツとミンチカツ
梅じそのピラフ
海老ピラフ
明太子スパゲッティ
メニューも豊富ね～
値段もリーズナブルだしいいわね

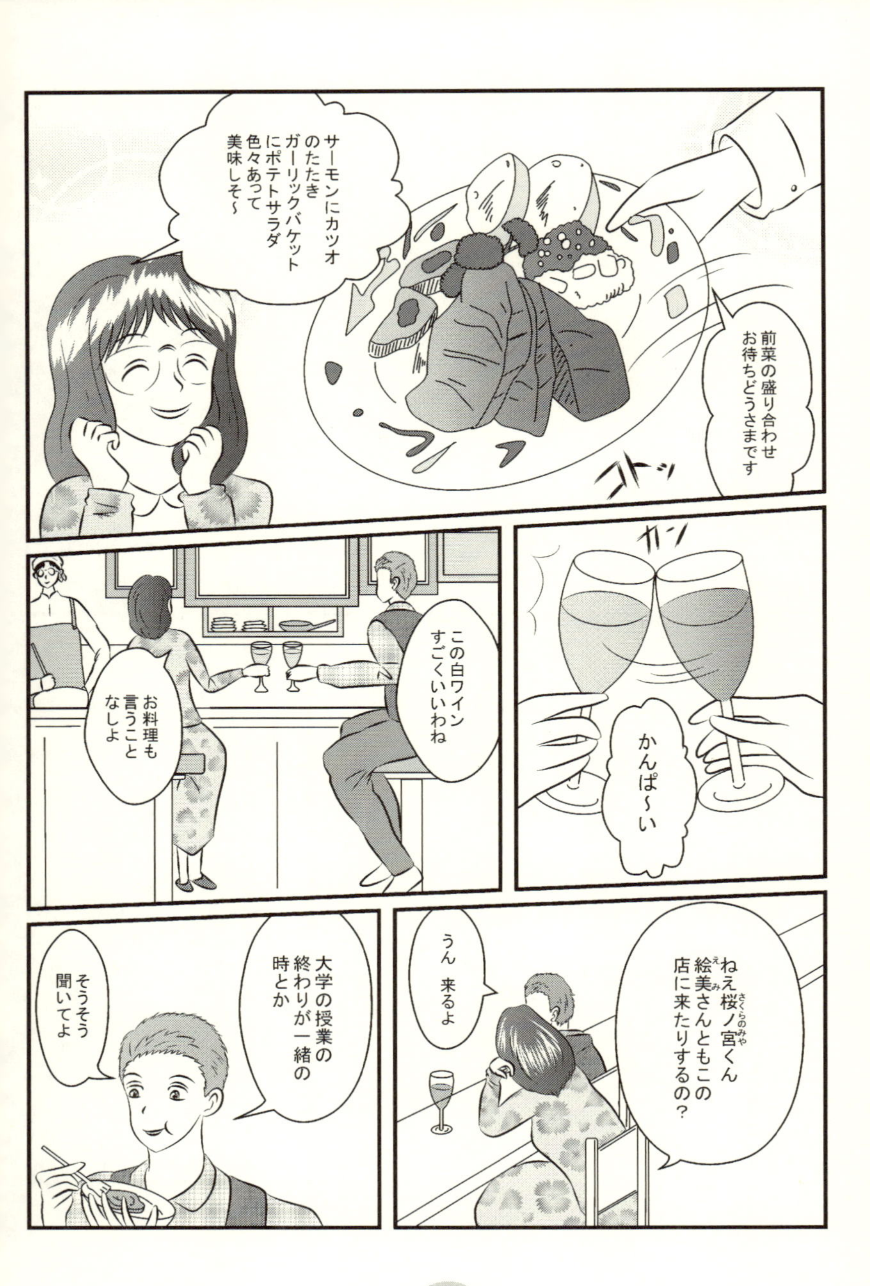

前菜の盛り合わせ
お待ちどうさまです
コトッ
サーモンにカツオ
のたたき
ガーリックバケット
にポテトサラダ
色々あって
美味しそ～
カーン
かんぱ～い
この白ワイン
すごくいいわね
お料理も
言うこと
なしよ
ねえ桜ノ宮くん
絵美さんともこの
店に来たりするの？
うん　来るよ
大学の授業の
終わりが一緒の
時とか
そうそう
聞いてよ

あいつめっちゃ酒豪なんだぜ　ここでワインのボトル一人で３本も空けちゃうんだから
それにすごいヘビースモーカーだしね
あっ　ちなみにこの店を俺に教えてくれたのは絵美なんだ
あいついわくここで締めを頼むなら絶対梅じそピラフなんだって　俺も食べたことあるけどほんと絶品だよ　あれは
ねえ　桜ノ宮くん

もう絵美さんとは会わないって約束して
えっ？
もう私以外の女の人とは会っちゃだめ
約束よ

分かるでしょ？私がどれだけあなたのことを愛してるか
この世で一番あなたのことを想っているのがこの私なのよ

そう言ってくれるのは嬉しいけど…

当たり前じゃない 私たち恋人同士なんだから
私がいれば他の女は必要ないはずよ

SHIRO
ねえ 私たちってお互い小説好きじゃない？

風と共に去りぬ
マーガレット ミッチェル
将来は小説『風と共に去りぬ』のアシュレーとメラニーーみたいな相思相愛カップルになれたらいいわよね

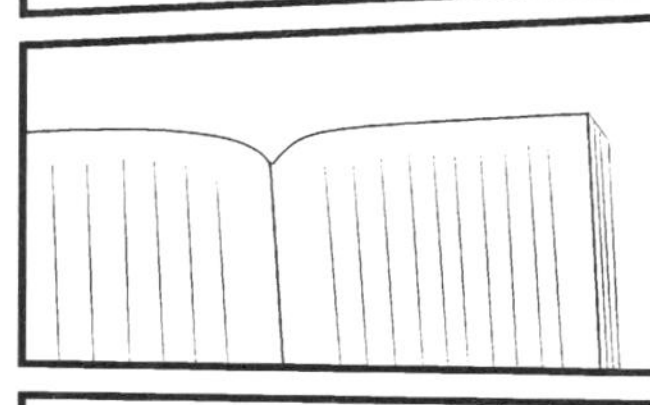

あのさ

言わなきゃならないことがあるんだ

実は…他に好きな人ができたんだ
えっ
何言ってるの？
冗談でしょ？
冗談なんかじゃないよ
一か月前に絵美(えみ)の紹介で知り合った人なんだ
だから別れてほしい
けじめをつける意味でも…
この後その人に会うんだけどよかったら会ってほしい

誠（まこと）
お待たせ
カヲルちゃん
男の人
会いたかったよ～

ちょっと何すんのよ人の彼氏に！

さっき話した会わせたい人だよ難波誠(なんばまこと)って言うんだ
俺こいつと付き合いたいんだ

今まで男が好きな自分に悩んできた
そんな自分を否定してきた
聖子(せいこ)さんと付き合えばそんな自分を
変えられると思った

でもだめだった
もうこれ以上自分を偽りたくないんだ

これが俺の真実の姿なんだ
わかってほしい

ひどい
ひどすぎるわ
ギュッ

私のこと
もてあそんだ
のね！

心の底から
あなたのことが
好きだったのに！

お願いだから
嘘だと言って
ねっ嘘だと言ってよ
何かの間違いって

間違いじゃない
俺には女の子を愛することはできない

別れてほしい

さよなら

本当にいいの？
彼女泣いてたよ
これでいいんだよ結局俺は彼女を利用してただけなんだ
そんな最低な男と無理して一緒にいても彼女は幸せになれない
それに今俺が好きなのはお前なんだし
カヲルちゃん

彼女を利用していた自分に気づかせてくれた本があるんだ

英文学の授業で読んだ本なんだけど

BETWEEN MEN
男同士の絆

タイトルのホモソーシャルはセジウィックの提唱した概念なんだ

HOMOSEXUAL

HOMO
【人間・同一の】

HOMOSOCIAL

「ソーシャル」って言葉から分かるように異性愛を基盤にした男同士の社会的絆を表す言葉がホモソーシャルで

そういう男同士の絆で女たちは搾取される対象だった

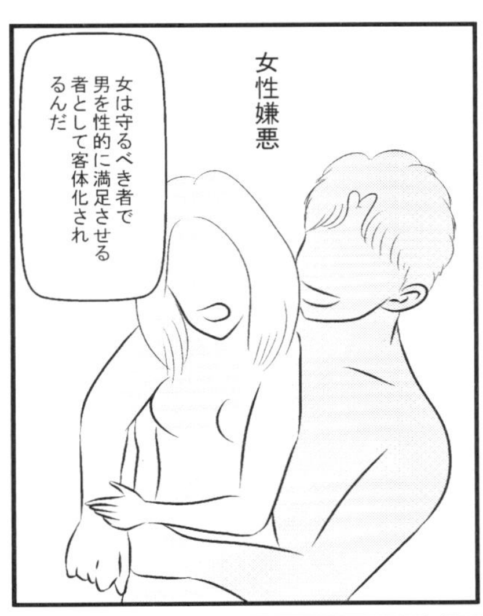

つまりホモソーシャルは必然的に同性愛嫌悪や女性嫌悪を伴う男の絆だと言える

HOMOPHOBIA
【同性愛嫌悪】

MISOGYNY
【女性嫌悪】

それは同時にあることを意味している

強い者こそ普遍的(ふへんてき)人間でありそうでない者は不完全な人間であり屈服する運命にあるってことを

＊セジウィックは、一人の女の介在が、男たちの内に潜む潜在的同性愛を隠ぺいすることに一役かっているとも考える

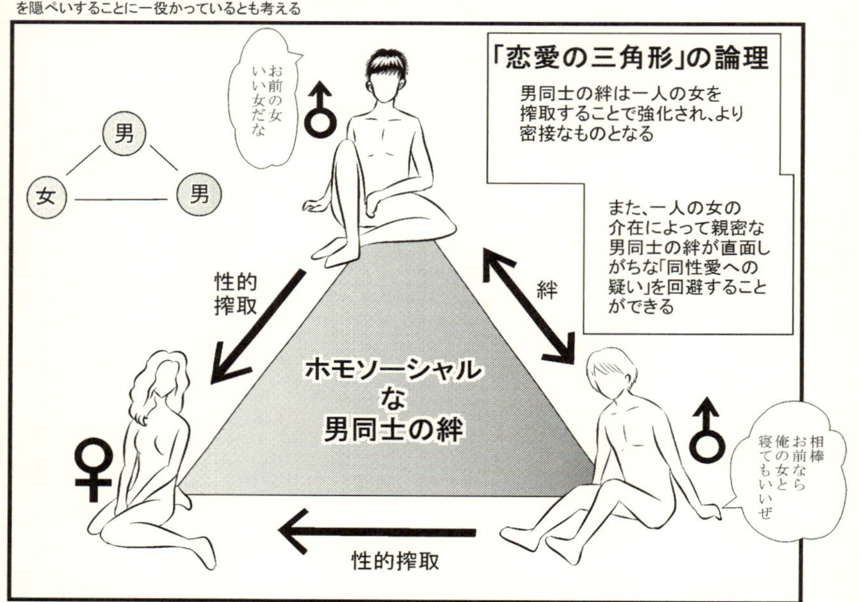

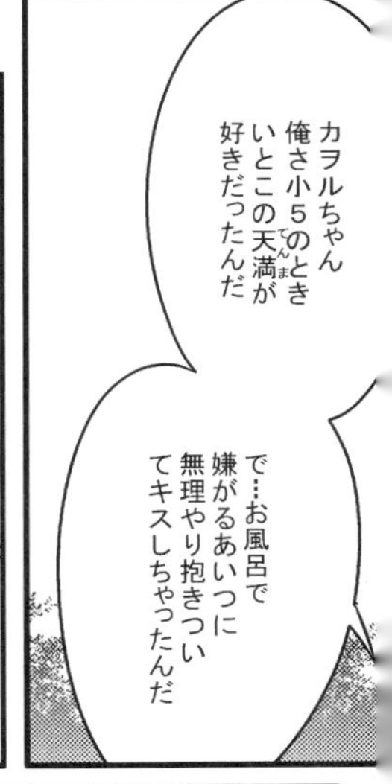

カヲルちゃん
俺さ小５のとき
いとこの天満が
好きだったんだ
で…お風呂で
嫌がるあいつに
無理やり抱きつい
てキスしちゃったんだ

一か月前に
魔がさしたのか
あいつにまた
同じことをして
しまった…
やめろよ!!
小5の時の
出来事
それ以来
天満とは口も
聞いてないし
険悪な関係が
続いてる

俺が自分の気持ち
に正直すぎたのが
悪いんだよ…たぶん

なんで相手が
ノンケって分かって
たのにそんなこと
したの？
＊ノンケ:英語で否定を表すnon(ノン)
を用いて「その気のない」様を表した言葉

自分がゲイだって
ことを再確認した
かったのかもしれない

でもゲイの世界に
のめり込む自分も
怖かった
同類と恋なんて
しちゃったらもう
後戻りできないって…

その気持ちわかるな
俺が聖子さんと付き合ったのも同じ理由だった
彼女といれば普通でいられるって…

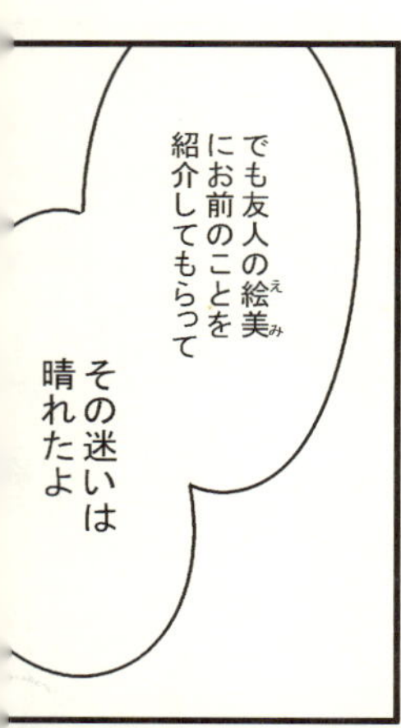
でも友人の絵美にお前のことを紹介してもらって
その迷いは晴れたよ

BROMANCE
もし機会があったら「ブロマンス」って言葉調べてみてよ
きっと天満くんと仲直りする切っ掛けになるから

ほんとに？

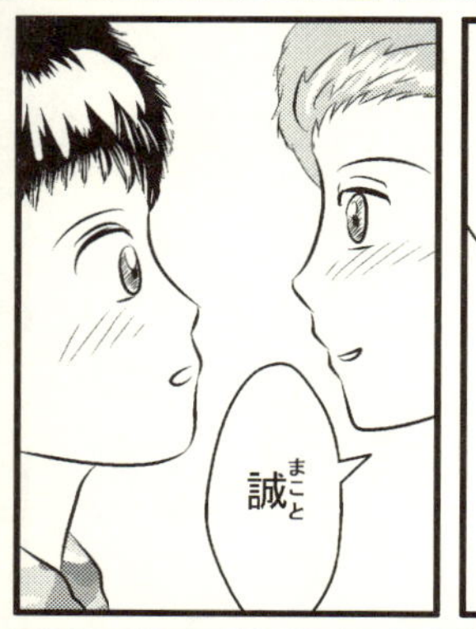
誠

俺たちずっと一緒にいような
カヲルちゃん

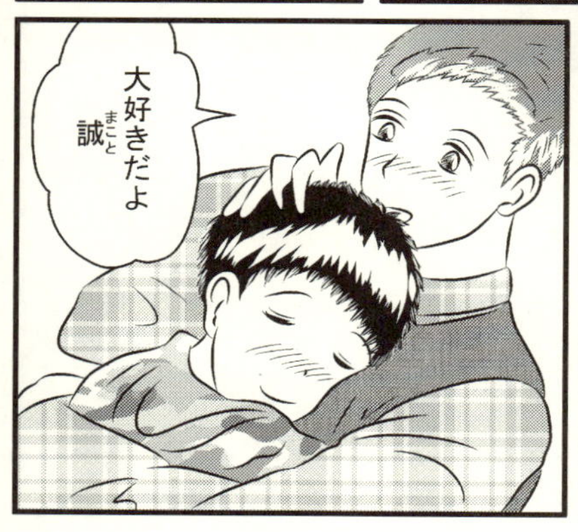
大好きだよ誠

翌日
何見てんの？
お～鶴橋スクープだぜ
究極のボーイズラブだぜこりゃあ
なかなかうまく撮れてるだろ
南方 昇
淡路 力也
十三 剛
お前も見てみろよ
すごいだろ？
難波の奴ホモだったんだぜ
後でお前のラインにも送ってやるよっ

ガラガラ
おはよう
お～難波ちょうど噂してたんだよ
難波お前俺たちに何か隠してるだろ？
はっ？
誠ちゃん俺見ちゃったんだよ昨日
お前が彼氏と抱き合ってるのを！
そっ…その画像
今すぐ消せよ！
誰が消すかよ！
ちょっとお前…

気安くさわんじゃね~よホモ野郎！
クラスのみなさ~ん御覧なさ~い
難波誠はホモなんです！
難波はホ~モ
まことはホ~モ
襲わないで~
な…難波
鶴橋/弘康
あ~っホモが逃げたぞ~

ガラー
中ノ島〜大変だぞ！
なんだ〜朝からうるせ〜ぞ鶴橋
ま・ま・誠が…
中ノ島 天満
誠がどうかしたのか？
あいつ最近彼氏が出来たみたいで
で・その彼と抱き合ってんのを十三に写メられて…クラスのみんなに…
そっか
ちょっと行ってくる
中ノ島？

やっぱりここにいたか

天満

お前彼氏できたんだってな

なんだよ急に
あれだけ俺のこと避けてたのに

いや～彼氏ができたんならもう安心じゃん？
これでお前も俺のことを吹っ切れるだろうし
うっ…

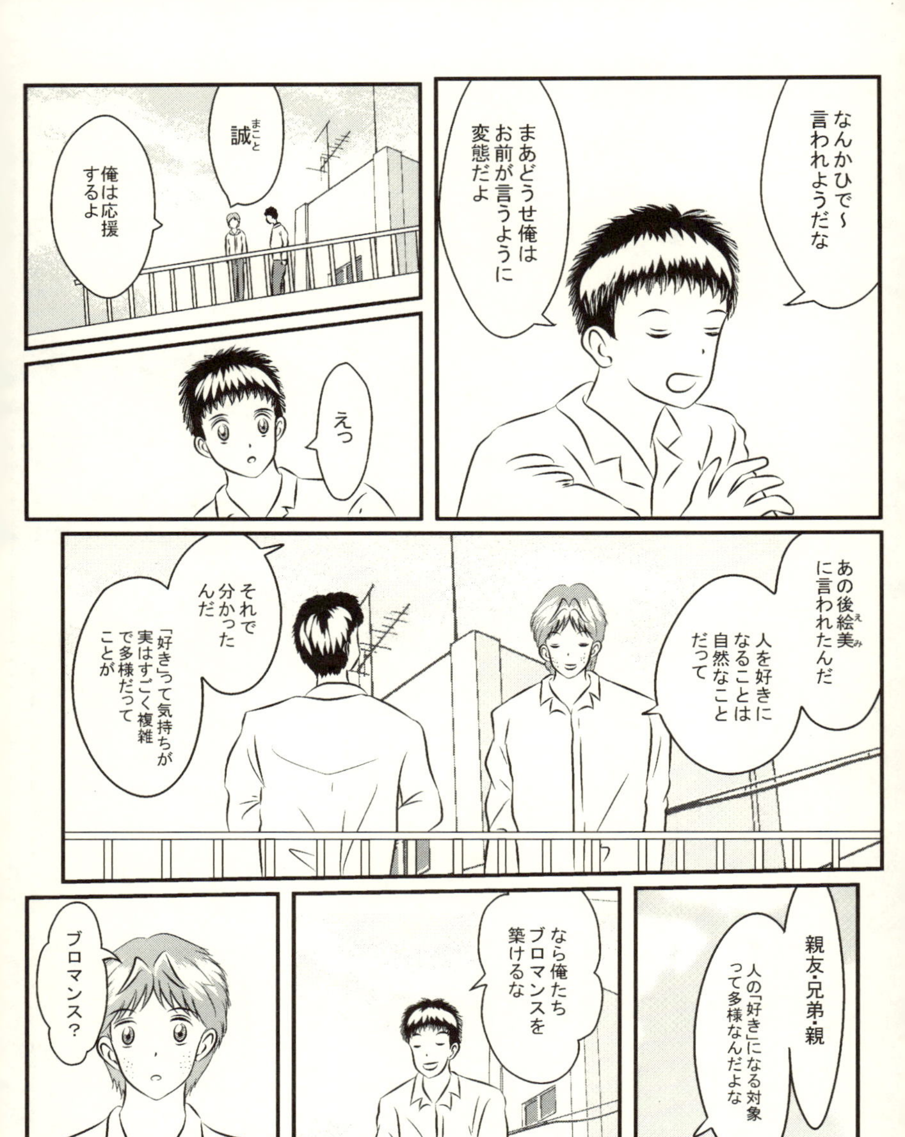
なんかひで～言われようだな
まあどうせ俺はお前が言うように変態だよ
誠
俺は応援するよ
えっ
あの後絵美に言われたんだ
人を好きになることは自然なことだって
それで分かったんだ
「好き」って気持ちが実はすごく複雑で多様だってことが
親友・兄弟・親
人の「好き」になる対象って多様なんだよな
なら俺たちブロマンスを築けるな
ブロマンス？

彼氏のカヲルちゃんに教えてもらった言葉なんだ
ブロマンスは「ブラザー」(兄弟)と「ロマンス」(恋愛)の二語からなる混成語なんだ
アメリカのスケートボード雑誌の編集者デイブ・カーニーが作った造語として知られている
画像:Big Brother Magazine
Big Brother
デイブ・カーニー

スケートボーダーの多くが遠征先のホテルの同じ部屋で寝食を共にするのは想像つくだろ?
要するに同じ布団を共有するのは恋人同士だけじゃないってことさ

19世紀の男同士の友情は今よりも熱かったらしいよ
男同士で肩組んだり手をつないだりするのは深い友情の証だったんだ
でもさブロマンスって文字通りに理解したら「兄弟間の恋愛」だからそれって近親相姦になるじゃん?

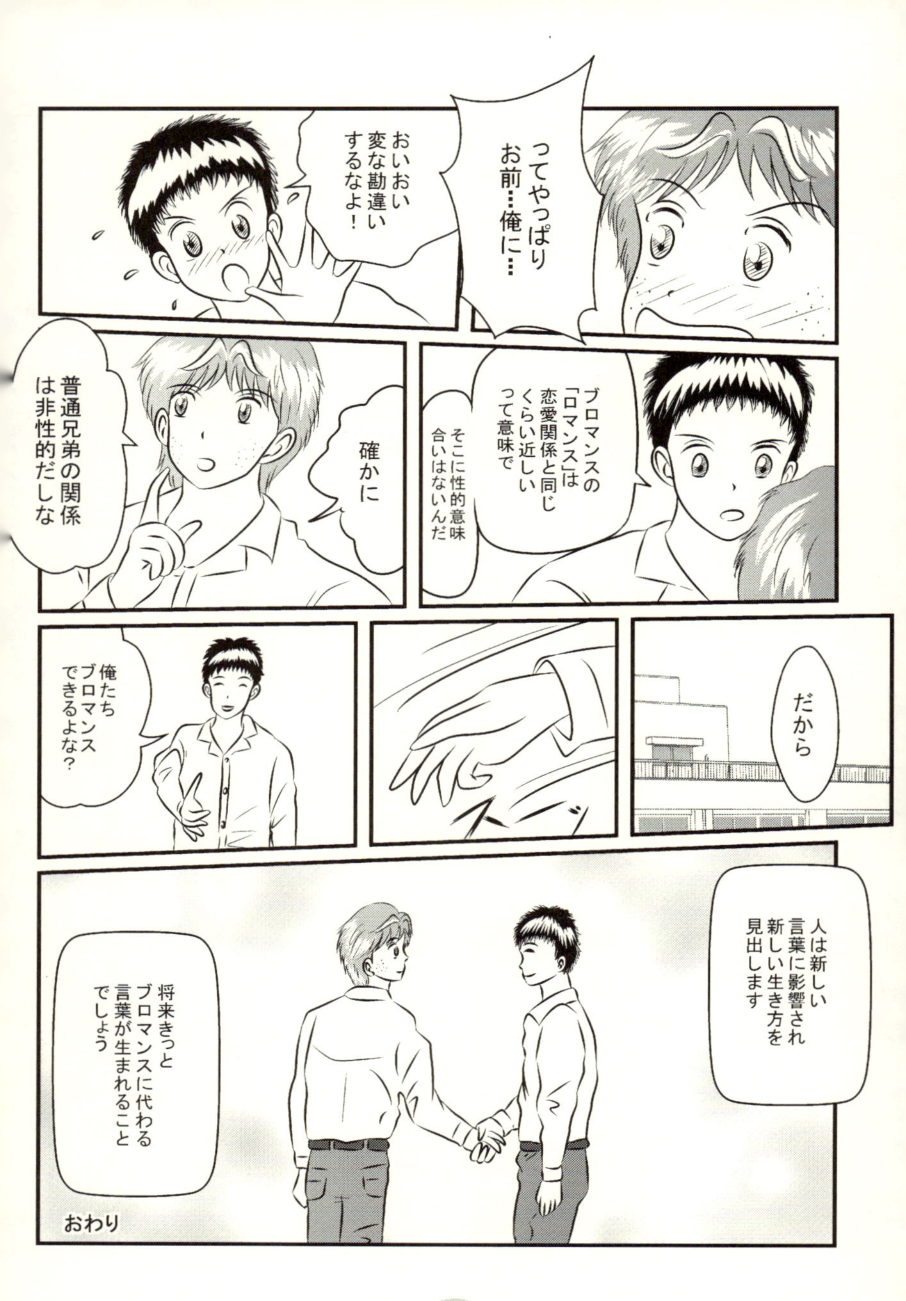
ってやっぱり
お前…俺に…
おいおい
変な勘違い
するなよ！
ブロマンスの
「ロマンス」は
恋愛関係と同じ
くらい近しい
って意味で
そこに性的意味
合いはないんだ
確かに
普通兄弟の関係
は非性的だしな
だから
スーッ
俺たち
ブロマンス
できるよな？
人は新しい
言葉に影響され
新しい生き方を
見出します
将来きっと
ブロマンスに代わる
言葉が生まれること
でしょう
おわり

絆で結ばれる男たち

信頼できる友達の存在は、かけがえのないものです。『ドラえもん』の野比のび太にはドラえもん、『サザエさん』の磯野カツオには中島くん、『ちびまる子ちゃん』の大野くんには杉山くん、『ドラゴンボール』の孫悟空にはクリリンと、挙げればきりがないですが、友達の存在は、時として家族以上の存在となります。

友達が家族以上の存在になるということは、二人の間をつなぐ絆がそれだけ固いことを意味します。絆ということばは、古来、動物が逃げてしまわないように繋いでおくための綱を指すことばとして使われてきました。そして、その綱が、人と人を繋ぐ綱でもあると考え、綱で結ばれる深い人間関係を、絆ということばで表すようになったのです。

男同士の絆は様々な形で存在します。

相棒、朋友、幼馴染、味方、仲間、知友、知人、友、友達、友人、親友、老友、悪友、戦友、同朋、同志、同士、同輩、輩、同僚、同期、子弟、親子、兄弟、家族、夫婦、恋人、パートナー、フレンド、クラスメイト、チームメイト……。

ここに挙げたことばは、数あるうちのほんの一部に過ぎませんが、絆の類似語がこれだけあるということは、多様な男同士の絆があるということです。

男同士の絆と聞くと、固い友情で結ばれた二人の男を思い浮かべることでしょう。マンガ④の解説でも触れましたが、そんな固い友情も、親密さを増すとある問題に直面します。それは同性愛の

マンガ⑤　男同士の絆

問題です。

場所・数・シチュエーションに縛られる男同士の絆

男同士の親密な絆は、しばしば同性愛的ニュアンスを含みます。そして、同性愛の問題は場所・数・シチュエーションに影響を受ける形で生じるのです。

場所・数・シチュエーションに影響を受けて生じる同性愛について、『クレヨンしんちゃん』と『おおきく振りかぶって』の二作品を取り上げて考えてみましょう。

『クレヨンしんちゃん』に、主人公・野原しんのすけと父・ひろしが公園のボートに乗って休日を過ごすエピソードがあります。場所はデートスポットの公園、数は男二人、シチュエーションはボート遊び、と考えてください。ここで、しんのすけ、ひろし、ボート乗り場のおじさんが交わした会話を見てみましょう。

ひろし：「ボート貸してください」

ボート乗り場のおじさん：「お二人ですか？」

しんのすけ：「オラ達ホモじゃないよ。ただの親子だぞ」

ひろし：「言い訳せんでも分かるわい！」（一九九四年一〇月三一日放送、一二〇話「ボート遊びをするゾ」より）

もしここに、母の野原みさえがいたら、この会話の内容は大きく変わっていたことでしょう。

この後、しんのすけとひろしはボートに乗るわけですが、二人の乗るボートが男女のカップルの乗るボートに接近したとき、しんのすけはこうつぶやきます。

「男同士はオラたちだけだね」。

ここで、ひろしを、幼児を性的目的で誘拐するペドフェリア（小児性愛者）とみる人はまずいないでしょう。誰の目から見ても、二人が親子であることは一目瞭然です。

このエピソードの興味深いところは、カップルがデートをする公園（場所）で、男二人（数）でボートに乗る（シチュエーション）という三つの要素が重なり合うだけで、「ホモ」（同性愛）という発想が生まれることです。もしボートに母・みさえも同乗していたなら、しんのすけは決して、「男同士はオラたちだけだね」などとは言わなかったことでしょう。

図16　野原しんのすけ（左）と父ひろし（右）：『クレヨンしんちゃん』ⓒ臼井儀人／双葉社・テレビ朝日

これに似た事例は、『おおきく振りかぶって』（一巻）からも読み解くことができます。

この作品は、卑屈で女々しいピッチャーの三橋廉と、頭脳明晰で男気あるキャッチャーの阿部隆也を中心に、甲子園出場を目指す高校球児たちの青春を描いたスポーツマンガとして知られています。

試合前、ピッチャーの三橋は、怖気づきマウンドに立つことをためらうことがしばしばあります。

そんな三橋をキャッチャーの阿部は、幾度も励まし勇気づけるのですが、それは阿部が三橋をピッチャーとして高く評価しているからにほかなりません。ある試合前、校舎の片隅でいつものように怖気づく三橋を見つけた阿部は、緊張して冷たくなった三橋の手を握り、次のように諭します。

「お前はいい投手だよ　ムカツクけど　イライラするけど　投手としてじゃなくてもオレはお前がスキだよ!」（一巻、一三四頁）。

ここで阿部は、誰よりも練習を頑張る努力家の三橋のために、涙まで流します。

『クレヨンしんちゃん』のケースと同様に、この一場面でも、人気のない校舎の片隅（場所）で、二人（数）が、手を握る（シチュエーション）、という三つの要素が揃っていることが分かるでしょう。

図17　阿部隆也（左）と三橋廉（右）：『おおきく振りかぶって』1巻、133頁

しかし、『クレヨンしんちゃん』のエピソードと明らかに違う点は、三橋と阿部のいる場所が、周囲に誰もいない物静かな校舎の片隅だということです。

作中で、阿部は事あるごとに三橋を叱る、サディスティックなチームメイトとして描かれますが、本当の阿部は違います。野球でピッチャーとキャッチャーをよく夫婦にたとえることがありますが、阿部は三橋を良き女房役として、また大切なチームメイトとして、全身で受け止めることのできる優しい男なのです。
しかし、阿部の三橋に対する思いやりや優しさが表出するのは、いつも周囲に他のチームメイトがいない場所です。男が男に、愛情にも似た感情を表すことのできる場所は、他者の視線が及ばない場所でしかあり得ないのかもしれません。

ブロマンスは性別を超えた人間の絆

マンガ⑤のなかでも触れていますが、ブロマンスは、「ブラザー」(兄弟)と「ロマンス」(愛)の二語からなる混成語であり、男同士の恋愛関係にも似た、親密な絆を表すために作られた造語です。ブロマンスな男同士の絆において、男たちは、男女の恋愛関係以上に深い絆で結ばれますが、彼らが性的関係を結ぶことは決してありません。
実際、マンガ作品ではしばしばブロマンスな男同士の絆が描かれます。『BANANA FISH』のアッシュ・リンクスと奥村英二、『カードキャプターさくら』の木之本桃矢と月城雪兎、『俺物語!!』の剛田猛男と砂川誠が、例として挙げられるでしょう。
ここに挙げた男たちは、みな異性愛者であり、血縁関係のない他人同士でありながら、兄弟以上の深い絆を結びます。彼らに共通することは、それぞれがお互いを「良き理解者」として、また、「特別な存在」として位置づけていることです。誰しも、幼馴染や、秘密を共有する友人を特別視することはあるでしょう。

また、ブロマンスな絆は、異性愛者の男たちの間だけに結ばれる絆ではありません。『のだめカンタービレ』で、音大生の奥山真澄（ゲイ）が、大好きな先輩・千秋真一（ノンケ）への想いを断ち切り、彼と「音楽」という共通項で結ばれることを選んだように、恋愛感情が排除されれば、ノンケとゲイの間のブロマンスも成り立ちます。

また、ゲイの男同士の間にも、ブロマンスな絆は結ばれます。ゲイの男にとって、同じゲイの男は、恋愛対象となり得る異性ですが、だからといって彼らが友情関係を結べないわけではありません。『ラブ★コン』や『坂道のアポロン』に男女の友情が描かれているように、ゲイ同士の友情があってもおかしくないのです。

極論を言えば、ブロマンスは、性別を超えた人間の絆を意味します。

つまり、ブロマンスな絆は、何も二人の男の間だけで育まれる絆ではないということです。そこに女の入る余地はあります。

『リバーズ・エッジ』に登場する三人の高校生、若草ハルナ（母親と二人暮らし）、山田一郎（ゲイ）、吉川こずえ（摂食障害でレズビアン）のように、互いに共通する心の闇を抱えているがゆえ、性別を超えた強い絆で結ばれる男女もいるのです。ここに挙げた三人は、お互いの「弱さ」を見せ合うことで、男と女という性別の次元を超えた人間関係を築きます。

女やゲイを蔑視・排除の対象としないブロマンスな絆は、性別という枠に囚われないクイアな絆なのかもしれません。

マンガ⑤の最後で、中ノ島天満と難波誠は和解し、互いの性的指向の違いを認め合う友として新たなスタートを切るわけですが、彼らの新たなスタートがブロマンスな絆を超えることであるとしたら、あなたはブロマンスに代わることばとして何を挙げますか。

関連マンガ案内

あさのあつこ（原作）・木乃ひのき（作画）『No.６』講談社、二〇一一年
あだち充『タッチ』小学館、一九八一年
荒川弘『鋼の錬金術師』スクウェア・エニックス、二〇〇二年
伊賀大晃（原作）・月山可也（漫画）『エリアの騎士』講談社、二〇〇六年
江川達也『まじかる☆タルるートくん』集英社、一九八九年
大島やすいち『バツ&テリー』講談社、一九八三年
岡崎京子『リバーズ・エッジ』宝島社、二〇〇〇年
帯屋ミドリ『サヨナラさんかく』日販アイ・ピー・エス、二〇一七年
梶原一騎（原作）・福原秀美（作画）『友情山脈』マガジンショップ、二〇〇六年
加藤和恵『青の祓魔師』集英社、二〇〇九年
加藤知子『HOLD OUT』白泉社、一九九二年
河原和音（原作）・アルコ（作画）『俺物語!!』集英社、二〇一二年
CLAMP『カードキャプターさくら』講談社、一九九六年
湖住ふじこ『オネエと男子、時々ごはん』講談社、二〇一七年
小玉ユキ『坂道のアポロン』小学館、二〇〇八年
小山宙哉『宇宙兄弟』講談社、二〇〇八年

榊原瑞紀『TIGER & BUNNY』角川書店、二〇一二年
柴田亜美『南国少年パプワくん』エニックス、一九九七年
太宰治（原作）・高芝昌子（漫画）『走れメロス・富嶽百景』ホーム社、二〇一〇年
中原アヤ『ラブ★コン』集英社、二〇〇二年
二ノ宮知子『のだめカンタービレ』講談社、二〇〇二年
ひぐちアサ『おおきく振りかぶって』講談社、二〇〇四年
藤田和日郎『うしおととら』小学館、一九九〇年
穂積『さよならソルシエ』小学館、二〇一三年
安彦良和・矢立肇・富野由悠季『機動戦士ガンダム THE ORIGIN』角川書店、二〇〇二年
吉田秋生『BANANA FISH』小学館、一九八六年
吉田秋生『ラヴァーズ・キス』小学館、一九九五年
よしながふみ『西洋骨董洋菓子店』新書館、二〇〇八年

＊出版年は単行本・コミック発刊時のもので、第一巻のみを提示しています

マンガ⑥

男はつらいよ

主な登場人物

谷町（たにまち） 徹（とおる）

谷町家の父。サラリーマンをしている。仕事一辺倒な毎日を送る反面、子煩悩。

谷町（たにまち） 友介（ゆうすけ）

谷町家の一人息子。現在、高校三年生。大きな夢を叶えるために、アルバイトに励む。好きな科目は世界史。

谷町（たにまち） ルリ子（るりこ）

谷町家の母。学生時代に徹と知り合い結婚。結婚前はＯＬをしていた。

わたくし
谷町徹(たにまちとおる)　３８歳は
仕事に追われる
サラリーマンです
文句ひとつ言わず
家事と子育てをやって
くれる妻と可愛い
一人息子と三人幸せな
毎日を送ってきました
妻・ルリ子
わ〜い
カレーライスだ
息子・友介(ゆうすけ)
谷町(たにまち)　徹(とおる)
妻のルリ子と結婚
してすぐに息子を
授かりました
三年の月日が経ち
息子の友介(ゆうすけ)は幼稚園
の年少組に入り
わたしたちの
生活は幸せに
満ち溢れてい
ました
妻の突然の
告白までは…

*『クレイマークレイマー』:1979年のアメリカ映画。妻と離婚した男が仕事と子育てに奮闘する日々を描いた物語

友介(ゆうすけ)～ また座らずに用を足しただろ！
尿が飛び散って臭うって何度も言っただろ
プィ～ン
あ～悪い
ふあ～
拭くの忘れて
じゃなくて…
座ってします…
お前も高校三年生なんだから自分でできることは自分でやらないでどうする
昨日だって部屋の電気つけっぱなしで寝てただろ
節約の心を忘れるんじゃないぞ
あと今月の携帯代一万超えてたぞ
誰がお金払ってると思ってる…
ZZZ
コックリ
って聞いてない…
ん？
何か言った？
あっ！
今日弁当の日なの言い忘れてた…
それならもう出来てるぞ
ほら
よかった
買わずに済む

今日の弁当は焼き鮭に卵焼きと昨日残った肉ジャガだぞ
ご飯は日の丸か～うまそ
父さん今日は残業で遅いからカレー作っといたぞ
サンキュー でも俺も今日はバイトで遅いよ
お前最近バイトの入れすぎじゃないか？
やりたい事のために金貯めてんの
もちろん勉強もちゃんとしてるよ
彼女にプレゼント買う金でもいるのか？
ちがうよ
俺だって将来に向けて色々と計画してんだよ
そうか
でも無理だけはするなよ
じゃあ行ってくる

仕事と家事をはじめて
はや15年 息子はもう
高校3年生になります
幼稚園の送り迎えや
ゴミ捨てをするわたしに
同情していた近所の
主婦たちも
いまでは
主婦仲間として
認めてくれて
いるようです
これだけは
断言しましょう
男でも主夫
になることは
できます
その点で
わたしは
ラッキーだった
のかもしれません
家事と育児の
両方を経験する
ことができたん
ですから
多くの場合離婚
すると子供は母親
に引き取られます

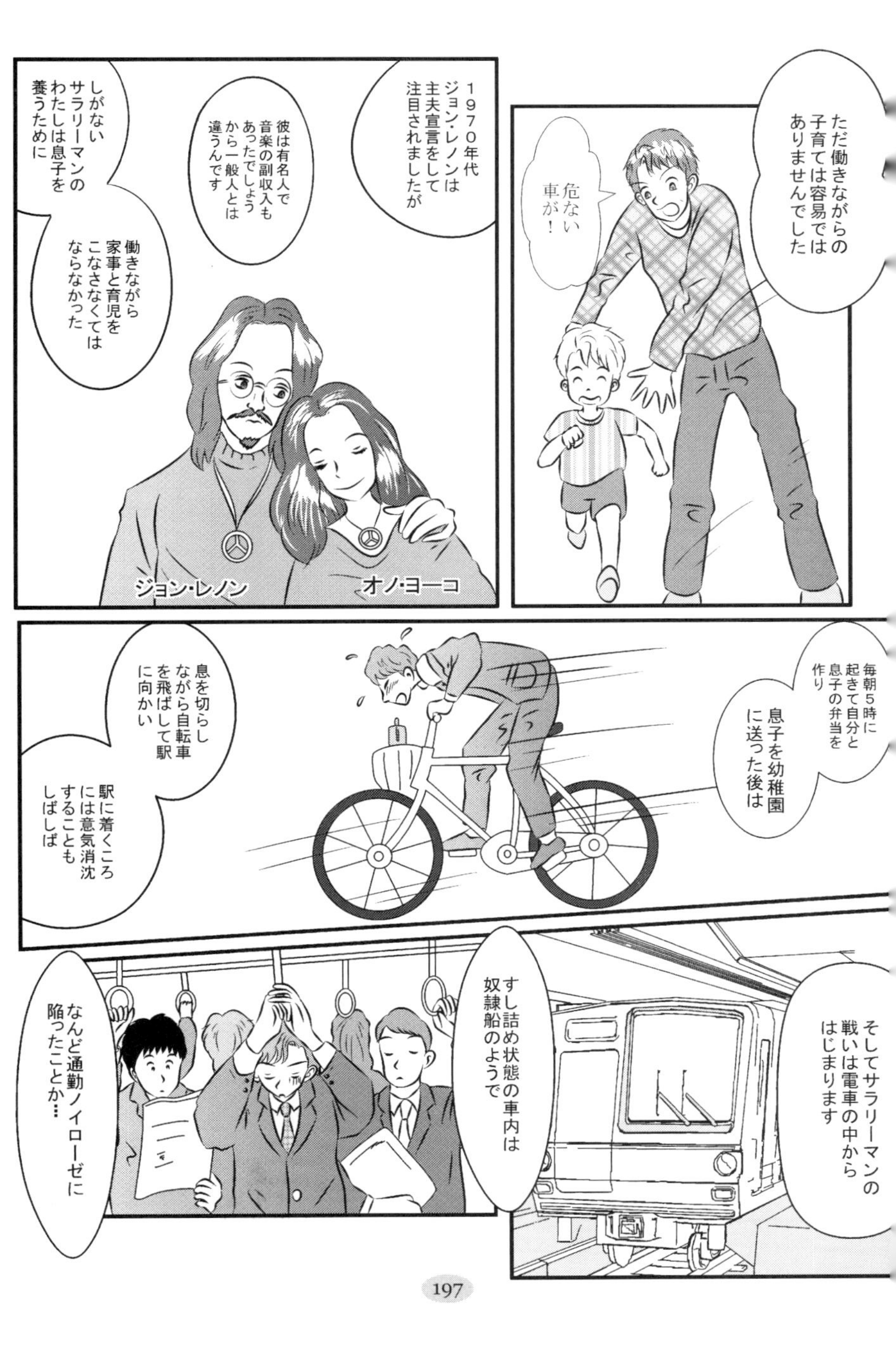
ただ働きながらの子育ては容易ではありませんでした
危ない車が！
1970年代ジョン・レノンは主夫宣言をして注目されましたが
彼は有名人で音楽の副収入もあったでしょうから一般人とは違うんです
しがないサラリーマンのわたしは息子を養うために
働きながら家事と育児をこなさなくてはならなかった
ジョン・レノン
オノ・ヨーコ
毎朝5時に起きて自分と息子の弁当を作り
息子を幼稚園に送った後は
息を切らしながら自転車を飛ばして駅に向かい
駅に着くころには意気消沈することもしばしば
そしてサラリーマンの戦いは電車の中からはじまります
すし詰め状態の車内は奴隷船のようで
なんど通勤ノイローゼに陥ったことか…

＊画像:JR「女性専用車両」ステッカー

会社に着いたら着いたで第二の戦いが幕を開けます
若い頃は仕事がこなせず上司に毎日怒鳴られ心身ともにボロボロでしたよ
会社は男社会の負の側面をまざまざと見せてくれる場です
何度言ったら分かるんだアホ！
申し訳ありません
上司と部下の関係がまさにそうですが
男はなぜ主従関係を好むのでしょうか
なぜ権力を好み物事に優劣をつけたがるのでしょうか
男にとって同性はしばしばライバルとして敵視する存在になります
群れつつときに同胞をライバル視する…
金
出世
名声
権力
ジブリの宮崎監督と鈴木プロデューサーは一見古き友人同士のように見えますが二人は紛れもなく利害関係でつながっています

漫画家・手塚さんも若い頃はトキワ荘で仲間たちと励まし合いながら頑張っていたのでしょうが

名声を得た後は自分を慕う後輩の才能に嫉妬していたそうですし

手塚治虫

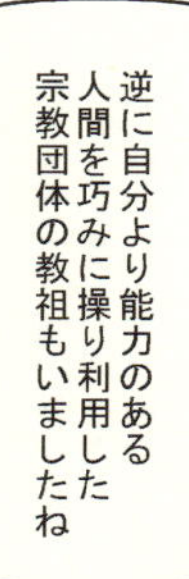

群れる男たちと言えば政治家を忘れてはいけませんね

小沢一郎と陸山会

＊ただ、男中心で社会がまわってきた歴史的経緯を考えると、
過労死や自殺率が高いイコール男の苦しみとは言えないでしょう

そもそもなぜ犯罪者には男が多いんでしょう

答えは簡単ですそれだけ男が社会で活躍することを期待される存在だからです

自分を負け犬と認めた瞬間から彼らは理性や道徳心を待たない鬼畜と化すのです

劣等心　金　支配欲

1938年　津山事件

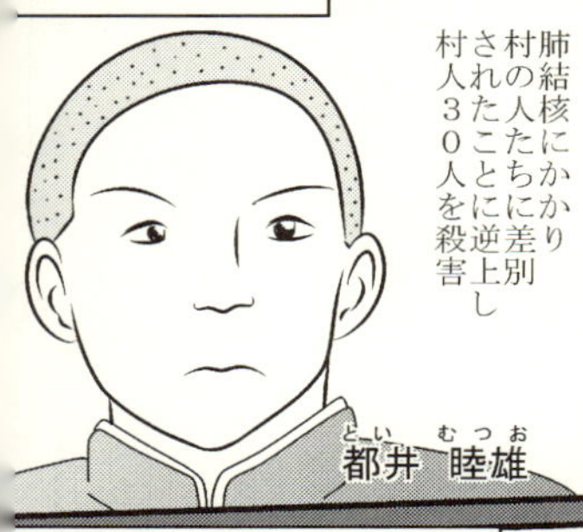

肺結核にかかり村の人たちに差別されたことに逆上し村人３０人を殺害

都井(とい)　睦雄(むつお)

1968年～1969年
連続ピストル射殺事件

社会に不満を抱いた男が復讐心の末自分と無関係の人間４人を射殺した事件

永山(ながやま)則夫(のりお)

1988年～1989年　東京・埼玉
連続幼女誘拐殺人事件

わいせつ目的で４歳から７歳の幼女を次々誘拐し殺害。殺害し死後硬直が進む幼女の体にわいせつ行為をする様子をビデオで撮影するなど、特異犯罪として知られる

宮崎(みやざき)　勤(つとむ)

1999年　東京・池袋
通り魔殺傷事件

親の借金、高校中退、数々の転職を経て、自暴自棄になり白昼の池袋で包丁と金づちで通行人を次々と襲った。内２人が死亡。

造田(ぞうた)　博(ひろし)

2001年　大阪
池田小児童殺害事件

様々な職を転々とし、暴力行為、強姦や詐欺を繰り返し、うまくいかない人生を終わらせるには死刑しかないと考え、小学生８人を殺害。法廷で被害者児童たちは「自分の自殺のための踏み台だった」と卑劣極まりない暴言を残し２００４年に死刑が執行された。

宅間(たくま)　守(まもる)

山口県・光市
母子殺害事件

配管工を装って家に押し入り抵抗する主婦を殺害後死姦し、横で泣きわめく11カ月の乳児を床に叩きつけて殺害

2002年　北九州市
一家監禁殺人事件

妻・緒方純子を巧みにマインドコントロールし純子の家族を含む７人を自分の手を汚すことなく殺害。犯罪史上類を見ない極悪非道な事件。

松永(まつなが)　太(ふとし)

2003年　長崎
男児誘拐殺人事件

当時4歳だった男児を連れ去り性的いたずらをした後、ビルの屋上から突き落として殺害。加害者は12歳の少年だった。

2004年　奈良
女児誘拐殺人事件

当時7歳だった女児をわいせつ目的で誘拐し、殺害。女児の母親に遺体の写真をメールで送りつけるなど性犯罪で類を見ない異常殺人事件。当初、生きることに疲れたと死刑を望んでいたが、後に投薬刑にしてほしいなど、死刑に対する恐怖心を明かしている。

2005年
大阪姉妹殺害事件

16歳の時に母親を殺害。返り血を流すためシャワーを浴びた際に射精し、人を殺すことに快感を覚える。少年院を退院後、しばらくは職を転々とするが、母を殺したときの快感が忘れられず、転職先の大阪で自分とは無関係の姉妹を殺害し、死姦後に、金銭を盗み放火するなど、卑劣極まりない犯罪事件として知られる。

2005年　大阪
自殺サイト連続殺人事件

自殺サイトで知り合った男女3人を次々と窒息死させた。本人は、人が窒息する姿に性的快感を覚えたと述べている。また、白い靴下にも異常なまでの欲情を見せ、それは男女の物に関係なく欲情したと述べている。

まえうえ ひろし
前上博

2006年　東大阪
大学集団暴行殺人事件

大学生ら2人が集団リンチされ生き埋めにされ殺害された事件。

いちはし たつや
市橋達也

2007年
英国人女性殺人事件

英会話講師の女性を殺害後、逃亡。整形を繰り返し二年七か月の逃亡後、逮捕される。

2008年　茨城
土浦連続殺人事件

近所の男性を刺殺後逃亡。その後第二の犯行では数名を殺傷し内1名が死亡。自暴自棄になった引きこもり男の起こした犯罪。

かながわ まさひろ
金川真大

＊その他、2010年代に入って、ニコニコ動画上に犯罪行為の動画をアップしたり、ツイッターに犯罪行為の画像をアップするなど、ネットを活用した軽犯罪が増加している
2010年代に入っても男による卑劣な犯罪は繰り返されています
2014年 千葉
柏市通り魔殺人事件
竹井聖寿
2015年 大阪
高槻市中1殺害事件
2015年 神奈川
川崎市中学男子生徒殺害事件
Yahoo!チャット万歳
2014年 神戸市
女児殺害事件
君野康弘
しかし凶悪犯罪の加害者が常に男とは限りません
女による犯罪も数多くあります
2013年 京都
向日市殺人事件
筧千佐子
2012年 兵庫
尼崎連続変死事件
角田美代子
2014年 福岡
リサイクルショップ連続殺人事件
中尾知佐
1982年 愛媛
松山ホステス殺人事件
福田和子
2006年 秋田
児童連続殺人事件
畠山鈴香
1998年 和歌山
毒物カレー事件
林真須美
さらに女性のみならず元男性だった女性による殺人事件など犯罪の多様化もみられます
2015年
東京・中央区金属バット殺人事件
自称ホステスで元男性の菊池あずは交際相手の男性・平田勇二に別れ話を切り出されたことに逆上し金属バットと包丁で殺害した、男女の恋愛のもつれが原因で起きた殺人事件。
叶わぬ恋の招いた悲劇として知られる事件です

犯罪にしても戦争にしても男と暴力は運命共同体です
高井高盛は著書『なぜ男は暴力をふるうのか』のなかで動物と人間の違いを脳の構造の違いに求めます
動物が争うのは「摂食・生殖・なわばり」に限られますが人間は違うそうです
『同期の桜』
作詞・西條八十　作曲・大村能章
貴様と俺とは　同期の桜
同じ兵学校の　庭に咲く
咲いた花なら　散るのは覚悟
みごと散りましょう　国のため
貴様と俺とは　同期の桜
同じ兵学校の　庭に咲く
血肉分けたる　仲ではないが
なぜか気が合うて　別れられぬ
要するに人間は脳で「考える」生き物なんです
だから歪んだナショナリズムや他者嫌悪に左右され無益な争いを繰り返してしまう
でも男の暴力性を脳の構造だけに問うことはできません
戦争に行った兵士たちは脳が戦えと命令するから戦争に行ったわけではありません
軍歌『同期の桜』の歌詞にある「国のため」なんて大義名分に過ぎず仕方なく戦争に行った男はきっと多くいるはずです

いかんいかん
また講釈を垂れて
しまった…
今日も一日
疲れた
男性学の本を読む
ようになって色々
考えることが多くて…
毎日毎日辛いこと
ばかりですが男だか
ら辛いと考えたこと
はありません
自分がつらいのを
社会のせいにした
こともありません
どうせ俺は
社会の役に
なんか…
どんなにつらくても
男としての自分と向き合って
生きていくしかないのです
男という鎧は服を脱ぎ捨て
るように簡単に脱ぎ捨てら
れないのだから
でも「顔で笑って
腹で泣く」必要は
ありません
つらいときはつらい
と吐き捨てるだけで
楽になれるんだから
でも…男であること
はつらいことばかり
じゃないですよ

ただいま〜

あっ・父さん
お帰り

まだ起きてたんだ？
寝ててよかったのに

風呂沸いてるから入ってきなよ
その間にカレー温めとくから
気が利くな〜
じゃあお言葉に甘えて

ザーッ
今日も一日疲れた～
あ～いい湯加減だ
ふ～っ
ザボ
帰ると待ってる人がいるって何か…いいな
ホカ
ふう～さっぱりした
お～うまそうな匂い
ホカ
ホカ
父さん昔からカレーだけは上手だよな
俺にとってこれはオヤジの味だな
オヤジの味
ホカ
ホカ
私はこういう些細なことに幸せを感じられる自分が好きです
おまたせ
シングルファザーになってよかったと思う瞬間です
おわり

男であることはつらいことなのか

著書『男性学入門』のなかで、伊藤公雄は、男性学を「〝悩める男たち〟が、より豊かな人生を送るために生み出された、「男性の生き方を探るための研究」」(二一頁)と位置づけています。

ここでいう〝悩める男たち〟は、男である自分自身の生き方について悩み苦しむ男たちを指します。例えば、本当は子供ともっと時間を過ごしたいのに、残業で家に帰れないことに葛藤する男や、親に「男の子なんだからいい大学に入っていい仕事につきなさい」と期待され、それについて悩み苦しむ男があげられるでしょう。他にも、男はなぜ男らしく振る舞わなければならないのか、と悩む男など、挙げればきりがありません。

この世の中には、様々な男が存在し、それぞれが異なる人生を歩んでいます。『サザエさん』の磯野波平や、『クレヨンしんちゃん』の野原ひろしのように、家族を支える大黒柱として仕事一辺倒な人生を送る男たちもいれば、『巨人の星』の父・星一徹のように、鉄拳教育で息子を鍛えることに人生をかける男もいます。『機動戦士ガンダム』のブライト・ノア艦長のように、「殴られもせずに一人前になった奴がどこにいるものか!」と喚き散らし、絶対的上下関係を重んじる男もいます。「俺は誰よりも強いエリートなんだ!」と自己陶酔する『ドラゴンボール』のベジータや、「俺は天才バスケットマンだ!」と自分を過大評価する『SLAM DUNK』の桜木花道のような男もいます。また、ギャンブルに明け暮れる自分を、ダメな人間と卑下する、『賭博黙示録カイジ』の伊藤開司のような男もいれば、「これでいいのだ」とすべてにおいて開き直る、『天オバカボン』のパパのような楽観的な男もいます。
ここに挙げた男たちが、男であることについて悩んでいるのかどうか、知るすべはありません。ただ、つらいことや悩みは、誰しもが抱える問題であり、それは男だけが抱える問題ではないのです。
非婚シングルの増加、高すぎる自殺率、長時間労働、定年退職後の暇な毎日、イクメンの抱える負担など、近年、男が抱える様々な問題を取り上げる著書『男がつらいよ――絶望の時代の希望の男性学』のなかで、田中俊之は、「男性学は、男性が抱える問題や悩みを対象とする学問」（六頁）と定義します。
この本のなかで、田中は、男たちに、「こういう男にならないと不幸になりますよ」と押しつけがましくアドバイスするのではなく、「男にはこういった問題があり、あなたにも当てはまるものが一つくらいあるかもしれませんよ」と、問題提起だけをします。
つまり、百人の男がいたら、百通りの人生があるということです。男性学に、百人の男たち一人ひとりにあった処方箋を出すことはできません。男性学ができることは、あくまで、男たちの抱える問題の「共通性」を提示することだけなのです。

男はなぜ物事に白黒をつけたがるのか

男は合理主義を好む生き物です。戦争やスポーツで勝者と敗者が存在するように、物事に白黒をつけることは、これまで多くの少年マンガのなかで描かれてきました。
男の合理主義を支える原動力は、権力関係や主従関係です。男たちはライバルの存在を求め、ライバルに勝つために男らしさという鎧をまとって戦い、自分の強さを証明しようとします。つまり、強者が勝利し、弱者が敗北する、といった単純明快なパワーゲームによって男社会は成り立っているのです。
古くから、マンガのなかには、男のパワーゲームが描かれてきました。『男組』の流全次郎と神竜剛次、『ドラゴンボール』の孫悟空とベジータ、『SLAM DUNK』の桜木花道と流川楓、『NARUTO』のうずまきナルトとうちはサスケなど、彼らは、ライバルの存在があることで強くなり、また、ライバルに勝つことで強い自分を証明します。
パワーゲームの中で生きていくということは、自己中心的な男として生きていくことを意味します。なぜなら、自分をそのゲームのなかで勝たせたいという気持ち抜きに、パワーゲームが成立しないからです。これは、『ドラゴンボール』の悟空や、『SLAM DUNK』の花道のように、強くなりたい一心で戦い続ける男たちすべてに言えることでしょう。
ここで、『アンパンマン』の主人公アンパンマンを思い浮かべてみてください。
アンパンマンは、決して強くなりたい一心で戦っているわけではありません。アンパンマンは、お腹を空かせた子供がいたら自分の顔をちぎって分け与えます。もしそんな時、ばいきんまんがやってきたら、アンパンマンに勝ち目はないでしょう。それは、アンパンマンが欠けたままの顔では、本来の力を発揮できないからです。しかし、それを分かったうえで、アンパンマンは、躊躇することなく自分の顔を子供たちに分け与えます。
ここまで聞くと、アンパンマンが非合理的なヒーローのように見えるかもしれません。欠けた顔でばいきんまんに勝てないことが分かっていても、目の前にお腹を空かせた子供がいれば、自分の顔を与えてしまうわけですから。しかし、アンパンマンの非合理性から学べることはあります。それは、時と場合によって、非合理的であることは、自己中心的な自分を変える第一歩となるということです。強さや男らしさを証明するためのパワーゲームから抜け出す方法は、アンパンマンのように、非合理的であることに意味を見出すことなのではないでしょうか。

犯罪は男の独壇場？

マンガのなかでは、しばしば犯罪者の主人公が描かれることがあります。例えば、無免許で医療行為を行う『ブラック・ジャック』のブラック・ジャック医師、父親殺しの罪状を背負う『男組』の流全次郎、名狙撃手で暗殺のプロ『ゴルゴ13』のデューク東郷、天下の大泥棒で知られる『ルパン三世』の怪盗ルパン、人斬り剣士だった過去を持つ『るろうに剣心』の緋村剣心、海賊船の船長を務める『ONE PIECE』のモンキー・D・ルフィーなど、マンガのなかに描かれる犯罪者の割合は、男のほうが明らかに多いのです。
『名探偵コナン』でも、調べた限り、相当数の女性犯罪者が登場するものの、やはり男性犯罪者のほうが多く登場します。では、なぜ犯罪者に男が多いのでしょうか。

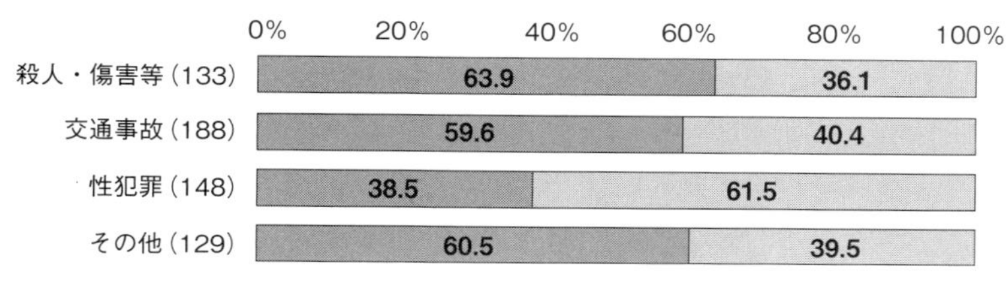

図 18　内閣府『平成 26 年度犯罪被害類型別調査』

犯罪学の分野では、男性ホルモンによる神経バランスの揺らぎに注目し、それが原因で男のほうが犯罪に手を染めやすい、と考えることがしばしばあるようです。確かに、男性ホルモンの一種であるテストステロンが、人間の攻撃性を増幅させる話はたびたび耳にしますが、男のなかには、女性ホルモンの分泌量のほうが多い者もいるでしょうから、一概にこれを原因と考えることはできないでしょう。

犯罪者に男が多いことを、男の人口のほうが女のそれに比べて多いことに結びつけて考えることがあります。

二〇一六年の国連による世界人口調査によると、男性三七億四九三一万二千人、女性三六億八三三五万一千人と、男性人口のほうが女性のそれよりも若干多いことが分かります。国連の調査では、戦後一九七〇年代から現代に至るまで、男女の人口比は、先に示した二〇一六年度のデータと同じ程度の差しかなく、両者の数字に大きな開きは見られません。

また、日本だけを見ると、男女の人口比は二〇一四年一〇月一日時点で、男性六一八〇万一千人に対し女性六五二八万二千人と、両者に大きな差は見られず、むしろ女性人口の方が多いのです（総務省統計局「人口推計」調べより）。つまり、この程度の差で、男による犯罪のほうが多いと主張することはできないのです。

内閣府が二〇一三年に発表した『犯罪被害類型別調査』から、性犯罪を除く、多くの犯罪の被害者の占める割合は、男のほうが高いことが分かります（図17を参照）。このことから、性犯罪に限定して考えれば、男による犯罪は、女のそれよりも多いと言えるのかもしれません。

そもそも、犯罪者になぜ男が多いのか、と問うことにはあまり意味がないように思えます。もっと重要なことは、なぜ男は犯罪を犯すのか、という問いなのではないでしょうか。

マンガ⑥の中でも紹介しましたが、日本で起きた一九三〇年代から現代までの凶悪犯罪だけを見ても、犯罪加害者の大半は男で、彼らにはある共通点が見られます。それは、彼らが男であることに生きづらさを感じていたということです。

これは、特に一九九〇年代以降の事件の加害者の男たちに多く見受けられます。マンガ⑥のなかでも一部取り上げましたが、一九九九年「池袋通り魔殺傷事件」の造田博、二〇〇一年「大阪池田小児童殺害事件」の宅間守、二〇〇八年「秋葉原無差別殺傷事件」の加藤智大、二〇一四年「千葉柏市通り魔殺人事件」の竹井聖寿など、ここに挙げた男たちはみな、家族と孤立し、自分の生きづらさを社会のせいにすることで自己存在を正当化し、ルサンチマンを抱え込んだ男たちです。

そして、皮肉なことに、希代の犯罪者として世に名を残した彼らに共感し、同じような犯罪を犯すことで、歴史に名を残そうと考える、歪んだ虚栄心に支配された男たちは実際多く存在します。

二〇〇五年「大阪姉妹殺害事件」の加害者・山地悠紀夫は、死刑がすでに執行されもうこの世にはいませんが、彼は「山地悠紀夫 bot」としてインターネット上に生き続けています。犯罪者の生

図 19 「山地悠紀夫 bot」：https://twitter.com/yukio_y_bot

い立ちや心の闇に共感し、犯罪者と自分を同化させたいと考える、狂気じみた犯罪崇拝は、ネットの普及した現代特有の現象なのかもしれません（bot とは、Twitter の自動発言システムのことを指します）。

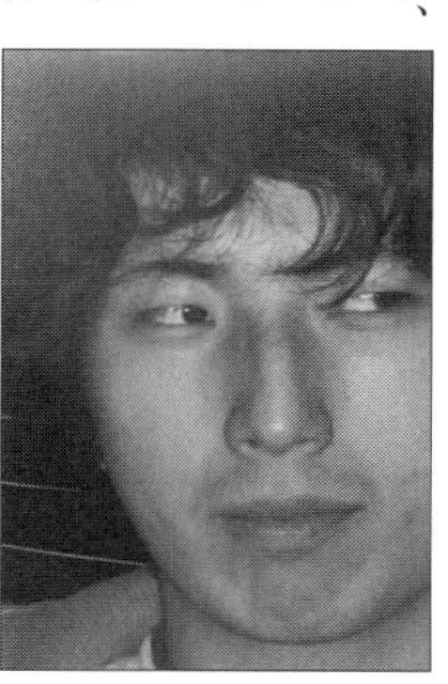

図 20 山地悠紀夫：『21 世紀殺人読本』8 頁

二〇一五年、当時中学一年生だった上村遼太くん（当時一三歳）が、知人少年グループにリンチされ、殺害されるという残忍な事件が起きました。この事件の主犯格の少年（一八歳）は、仲間内で人当たりのいい上村君に嫉妬し、彼をいじめの対象にすることで、グループ内の自分の優位性を維持しようと考えていたようです。

漫画家を目指す二人の男の友情を描いた『バクマン。』第四巻のなかに、作画担当の真城最高が、ストーリー担当の高木秋人の才能に嫉妬する自分を認める場面が描かれますが、男の男に対する嫉妬も、真城最高のように、相手を認めることで乗り越えられればまだいいのですが、それが屈折した形で表出してしまうと、川崎事件の加害者少年のように、友すらも殺めてしまう悲惨な結果を生むのです。男が自分の優位性を証明することは、時として、一人の人間の命すらも奪ってしまう悲劇を生むということです。

男たちへの処方箋

最初にも述べた通り、男性学に、百人いる男たち一人ひとりにあった処方箋を出すことはできません。しかし、男性学にできることはあります。それは、「男であることは、捨てたものではないですよ」と、男たちを諭すことです。

マンガ⑥のなかでも描きましたが、男たちのなかには、単独で行動し、犯罪行為に手を染めてしまう者もいれば、先に挙げた川崎事件の主犯格少年のように、仲間と「群れる」ことで、社会性を欠いたとんでもない行動をとってしまう者もいます。

また、男が「群れる」場所では、必ずと言っていいほど、男らしさや力関係を基盤にした、男であることを証明するための人間関係が築かれます。例えば、戦争やスポーツにおける階級や上下関係、学校の先輩・後輩関係、会社の上司・部下関係など、男たちは、「群れる」ことで男らしさや力関係を強化していくのです。

宮台真司ら編集の『「男らしさ」の快楽』のなかに、次のような一節があります。

「「群れ」つつ「男らしさ」を内部からずらすような「処方箋」こそ現実的ではないか」（二八四頁）。

タイトルにある「快楽」ということばからも分かるとおり、この本では、「群れる」ことや「男らしさ」は批判の対象とされません。つまり、男らしさを単に否定することよりも、他の男たちと群れるなかで、男らしさの意味が多様であることをポジティブに考えることのほうが重要だということです。

男であることは、つらいことばかりかもしれません。しかし、男であることを悲観的に考えることをやめ、自分自身を好きになることからはじめることで、男たちは、新たな自分を発見するきっかけを得ることができるのです。

関連マンガ案内

青木雄二『ナニワ金融道』講談社、一九九一年
青山剛昌『名探偵コナン』小学館、一九九四年
赤塚不二夫『天才バカボン』講談社、一九九九年
雨隠ギド『甘々と稲妻』講談社、二〇一三年
新井英樹『ザ・ワールド・イズ・マイン』小学館、一九九七年
伊藤実『アイシテル』講談社、二〇一〇年
植田まさし『かりあげクン』双葉社、一九八一年
うえやまとち『クッキングパパ』講談社、一九八六年
大場つぐみ（原作）・小畑健（漫画）『バクマン。』集英社、二〇〇九年
尾田栄一郎『ONE PIECE』集英社、一九九七年
梶原一騎（原作）・川崎のぼる（作画）『巨人の星』講談社、一九九五年
雁屋哲（原作）・池上遼一（作画）『男大空』小学館、一九八〇年

雁屋哲（原作）・池上遼一（作画）『男組』小学館、一九九〇年
岸本斉史『NARUTO』集英社、二〇〇〇年
北川恵海（原作）・鈴木有布子『ちょっと今から仕事やめてくる』KADOKAWA、二〇一七年
ジョージ秋山『銭ゲバ』若木書房、一九七〇年
冨樫義博『幽☆遊☆白書』集英社、一九九一年
冨樫義博『HUNTER X HUNTER』集英社、一九九八年
西森博之『今日から俺は!!』小学館、二〇〇〇年
福本伸行『賭博黙示録カイジ』講談社、二〇〇〇年
満田拓也『MAJOR』小学館、一九九五年
本宮ひろ志『サラリーマン金太郎』集英社、二〇〇〇年

＊出版年は単行本・コミック発刊時のもので、第一巻のみを提示しています

男のコンプレックス

主な登場人物

谷町(たにまち) 友介(ゆうすけ)

高校三年生。父親と二人暮らしをしている。哲平とは幼馴染で、同じ高校に通っている。現在、英語の猛勉強中。

中ノ島(なかのしま) 哲平(てっぺい)

少女漫画や乙女チックなものが大好きな高校三年生。友介の幼馴染。最近は、スキンケアにこっている。

もう一回頼む！

何回やったって同じだって
もう10回目で俺が全勝してるし
なかのしま てっぺい
中ノ島哲平

あ〜悔しい
お前強すぎんだよ
たにまち ゆうすけ
谷町友介
もう一回やろうぜ
今夜うちに泊まるんだし

ところで谷町俺があげたあれ使ってみた？
あれって何？

ファンクルのメンズ美容液セット
試供品あげただろ

あ～あれね まだ使ってないよ
てか使い方よく わかんないしさ

まあ確かに ああいうのは 使う順番が大事 だからな
風呂上がりにただ塗るだけじゃ？

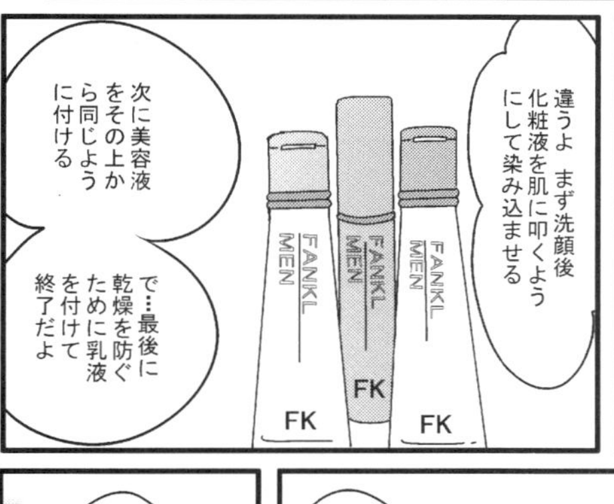
違うよ まず洗顔後 化粧液を肌に叩くようにして染み込ませる
FANKL MEN
FK
FANKL MEN
FK
FANKL MEN
FK
次に美容液をその上から同じように付ける
で…最後に乾燥を防ぐために乳液を付けて終了だよ

ほんとお前そういうの詳しいよな
そこまでして女にモテたいの？

まあね
だって彼女ほしいもん

皆子(みなこ)と別れてから男らしい男になるのはもう諦めたの？

＊『落第忍者乱太郎』に登場する忍者学校の先生。
女装をすることがしばしばある

前田和男・著『男はなぜ化粧をしたがるのか』に書いてあるけど美意識の高い男は江戸時代とかにもいたらしいよ
昔の湯屋には「糠袋を持参して肌みがきに専心する男」がいたらしいし 脱毛用に「毛きり石」とかも使ってたらしい
糠袋で肌を磨く女たち
毛きり石を使う男
最近の高校球児だって女顔負けの眉毛手入れをしてるし
1994年のフランス映画『カストラート』の男性歌手だって綺麗に化粧してたよ だから男にだって美意識はあるんだよ
カストラート:変声期に人為的に去勢されたことで、女と同じ音域で歌うことのできる中性ヨーロッパの男性歌手
だからお前ももう少し自分磨きをしろよ 萌花さんにもっと好かれる男になる努力は惜しむな
お前は内面磨けよ…
そろそろ風呂でも入るか
上がったら化粧水の使い方教えてやるよ
俺使い続ける自信ね～

あ～いい湯だっ
やっぱ風呂は命の洗濯だよな～
ポカ
ポカ
さてと体でも洗おうかな
あっ
ザッポン
なんだよ
い…いやだから…その…
ザー
お前剥けてないんだなって
だから…その
ニヤニヤ
なんだよ言えよ
俺の顔になんか付いてるのかよ？

＊欧米では包茎手術以外に、陰毛処理も流行っているらしい

＊夢精:睡眠中に射精する現象で思春期によくみられる。睡眠中は膀胱に尿がたまりやすく、これによって前立腺等が刺激されることで射精に至るともいわれている。

でもさ…男が人生のなかで自分の性器に関心を持つことは確かにあるよな
俺の場合は夢精(むせい)した時だった気がするな～
これも父さん情報だけど
男の性の目覚めにはいくつかの段階があるらしい

男の性の心理的発達は主に三段階に分けられる
0～1歳
口期
食べる【口】
1歳半～3歳
肛門期
排尿・排泄【肛門】
～8歳
エディプス期
生器
ニス】
特に性の目覚めにあたるエディプス期に男の子は自身の包茎を意識したりするらしい

3～8歳のエディプス期に男の子は母親を欲し同性である父親をライバル視するらしい
心理学者のフロイトはこれをエディプスコンプレックスと呼んでいて
ジークムント・フロイト
この時期男の子は母親を異性として認識する一方で
母親に自分にあるものがないことに気づきそんな母親が自分の性器を取るんじゃないかと恐怖するらしい
去勢不安」と呼ぶ

なんかエディプスコンプレックスって日本でいうマザコンに似てるよな
確かにそうだな
ちなみに上野千鶴子いわくマザコン男は嫁ぎ遅れるらしいよ
俺の父さんが今はまってんだよ彼女の本に
上野千鶴子
上野千鶴子ってフェミニストの人だよね?歯に衣着せぬ物言いで有名な…
でも彼女たちが言ってることは的を得てることばかりだよ
話を戻すけど包茎コンプレックスにマザーコンプレックス
ママ〜
ゆきおちゃん
結局コンプレックスは誰にでもあるんだよ
でもそのコンプレックスを恥じて改める必要なんかない
車 寅次郎
中学校も卒業せず放浪の旅先で出会う女に振られてばかりの寅さんがそんな甲斐性ない自分を受け入れ前向きに生きてるように

某・県議会議員はマザコンだったと噂されていますが人前で感情を露わにする彼の姿から分かることは、男が実は心の弱い、脆い存在だということです
思うんだけど男がマザコンであることを胸を張って言える時代が来れば
この世の中を変えたいその一心で！
人前で泣くことを恥じる男も減るんじゃないかな
社会は間違いなく多様化していってる
でも人の考え方ってそう簡単には変わらない気がする
例えば人種差別の歴史を考えてみてよ
1960年代の公民権運動で一定の成果は得られたのかもしれないけど
バラク頑張れよ
今でも差別は続いてるじゃん
人の考え方なんてそう簡単には変わらないんだよ
マーティン・ルーサー・キングJr
バラク・F・オバマ
3月号
何だよ！
お前が少女漫画をやめられないように
人が「言葉」を使い続ける限り「男らしさ」や「差別」みたいな言葉は再定義され続け それらに左右される人間も同時に存在し続ける

新しい言葉が作られて
それが新しい価値観を
生み出すんだよ
例えばお前みたいな
「女子力男子」とか
俺にとっては
そういう新しい言葉が
救いの神なんだけどな…
「女子力男子」とか
一部の言葉は金儲けのために生み出された言葉に過ぎないと俺は思うな
人のコンプレックスに付け込むために作られた言葉って意外に多いんだ
さっき言った包茎手術にしたって歯の矯正にしたって本当に必要なものじゃない
＊歯のかみ合わせ等の問題で行われる歯列矯正は必要な医療行為である
最近流行ってるメンズ脱毛エステとか…
結局人のコンプレックスって金になるんだよ
美顔ローラーにしても豆乳ブームにしても
女＝消費者って論理を男に適応しただけに過ぎない
ここに挙げたもの以外に従来女性が消費していたものを男性が消費する現象は多くある
その結果「メテロセクシャル」な男が増えて企業は商売繁盛で万々歳
＊「メテロセクシャル」:美意識の高い男性を形容する言葉
メテロ＝都会、セクシャル＝性から分かるように、都会で強い性意識を持つことを表す形容詞

結局
俺たち人間は「言葉」に
左右され続ける
生き物なんだよ
でも新しい言葉が出来た
から古くからある偏見が
見直されるとも言えない？
見直されることって
そんなに重要なこと
なの？
言葉だけで
新しい人生が
約束される
なんて俺は
嫌だね
まあでも
言葉を今更なくすこと
はできないから俺たち
人間にできることは
それとどう共存して
いくかに尽きるんじゃ
ないかな
重要なのは
言葉に影響を
受けながらも
自分の信念は
曲げずに行動する
ってことだよ
さ～もう
寝るか
明日色々と
行きたいとこ
あるから付き
合ってくれよ

起きろ～
もう９時
だぞ
今日は一日俺に
付き合う約束
だろ
んっ
もう朝？
早く起きて
支度しろ～
今日はやる
ことがいっぱい
あるんだから
一日何
すんの？

観光～
観光？

何で急に？
いいから
いいから
早くいくぞ～

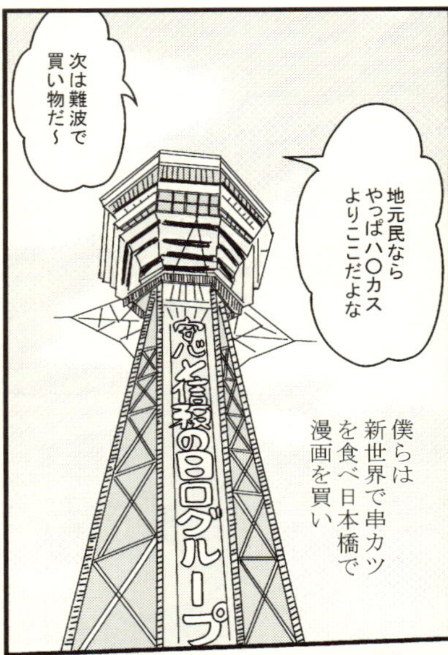
僕らは
新世界で串カツ
を食べ日本橋で
漫画を買い
地元民なら
やっぱハ〇カス
よりここだよな
次は難波で
買い物だ～

難波をブラブラした後
三角公園で暇をつぶし
クリコの看板
新しくなって
るな～

たこ焼き
うめ～
環状線で
大阪城まで移動し

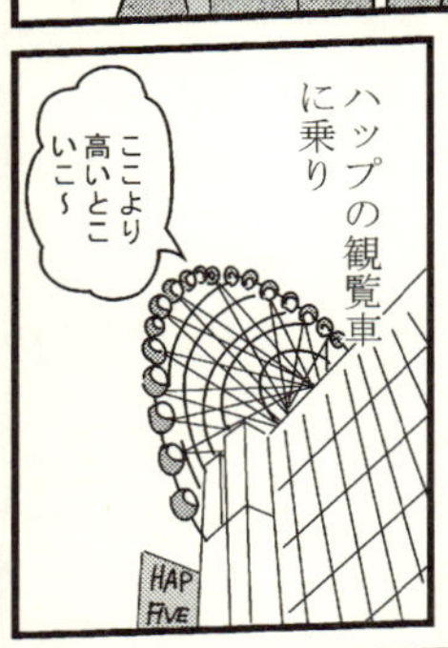
ハップの観覧車
に乗り
ここより
高いとこ
いこ～
HAP
FIVE

空中庭園
高い～！
物足りなかったので
ス〇イビルに行った

あ～もう俺
疲れたよ
クランフロント
でスイーツでも
食べようよ

ここのタルトめっちゃ美味しいんだよ
季節ごとのフルーツを使ってて種類も２０以上あるし
さすがスイーツ男子
いらっしゃいませ
え〜っと俺は季節のフルーツタルトで
じゃあ俺はクリームブリュレで
かしこまりました
お前の言う通りめっちゃ美味そう
ちょっとつまむ？
お前も俺の食う？
今日は一日観光に付き合ってくれてサンキュな
いい思い出が出来たよ
思い出？
またいつでも来れるじゃん？

もう来れないかもしれない…
俺たちもうすぐ高校卒業するし
何言ってんの？
卒業後だって来れるじゃん？
俺たち別に大学で府外に出るわけじゃないんだし
俺さ…
ニューヨークの大学に行くことにしたんだ
それは突然の告白だった
おわり

コンプレックスがコンプレックスでなくなる日はそう遠くない

男はそれぞれにコンプレックスを抱えて生きています。マンガ②のなかで解説したマザコンもその一つです。

近年、スポーツを題材にしたマンガ作品のなかでは、コンプレックスを原動力にして成長する男たちがしばしば描かれます。例として、『弱虫ペダル』の小野田坂道や、『ハイキュー!!』の日向翔陽が挙げられるでしょう。

小野田坂道は、自宅から四五キロも離れた秋葉原に、ママチャリで通うオタク少年です。坂道は、秋葉原通いで鍛えた足を買われ、自転車競技部に入部することになります。以後、彼は、内に秘めた才能を開花させ、自転車ロードレースでクライマーとして大活躍を果たすのです。日向翔陽も、バレー選手でありながら、一六二センチという低い身長にコンプレックスを抱きながらも、それを自慢の脚力で補い、チームにとって欠くことのできない存在へと成長を果たします。

コンプレックスを内に秘めた男たちにとって、スポーツは自分を変えてくれるユートピアなのかもしれません。しかし、彼らのように、コンプレックスに打ち勝ち、新たな自分として成長を果たすことは、現実では容易なことではありません。ここで、男の悩みやコンプレックスを実直に描いたマンガ作品をいくつか取り上げてみましょう。

『赤ちゃんと僕』（六巻）のなかに、男らしくない自分にコンプレックスを抱く、小学六年生の竹中七海という少年が登場します。小学校も高学年になると、男の子のなかには一度は経験する人がいると思いますが、竹中少年は、ある日の朝、夢精を経験します。そんな彼は、自分の精子で汚れたパンツを母親に見つからないように必死で隠し、一人誰にも相談できずにふさぎ込んでしまうのです。

その後、一人で悩むことに耐えられなくなった竹中少年は、父親が漁師で家にいないため、クラスメイトの榎木拓也の父に相談することを決心します。その時の心境を彼は涙ながらに、次のように明かしています。

「自分が汚れてる気がして罪悪感と嫌悪感でいっぱいになるんだ」（六巻、六四頁）。

夢精は、思春期の少年が経験する生理現象であり、自分ではどうすることもできません。自分ではどうすることもできないがゆえ、竹中少年のように、それを経験した男の子たちは一人悩み、自己嫌悪に陥ってしまうのです。

図21　竹中七海：『赤ちゃんと僕』6巻、64頁

これに似た悩みを打ち明ける、小学校二年生の男の子の話を耳にしたことがあります。彼は、学校の登り棒で遊んでいたときに、自分のあそこが棒でこすれ、知らない間に自慰行為と同じ感覚を経験してしまったそうです。この男の子も、竹中少年と同じように、自分は他の男の子たちとは違う、汚れた人間なのではないかと悩んだそうです。

夢精や自慰は、誰もが経験し得る性体験であり、それを恥じる必要はありませんが、そのことにコンプレックスを抱いてしまった男たちにとっては、決して些細な問題ではないのです。

マンガのなかでは、夢精のほかに、自分のペニスについて悩む男たちがしばしば描かれます。

図22　『ふたりエッチ』4巻、81頁

『ふたりエッチ』（四巻）のなかに、男子高校生の井上洋助が、彼女とラブホテルで初体験に臨むエピソードが描かれています。服を脱いでキスをして、お互いの身体を愛撫するまでは順調だった二人ですが、ここで洋助はある問題に直面します。包茎だった洋助は、ペニスの皮が戻ってしまい、うまくコンドームを装着することができないのです。あえなく、二人の初体験は失敗に終わり、洋助はアルバイトをして包茎手術を受けることを決意するのです。

真性包茎のように、亀頭が全く皮から出ない状態は、STD（性感染症）の心配や、時にはセックスに支障をきたす場合があります。日本人の男の大半は、洋助のように、皮をある程度まで剥くことのできる仮性包茎ですので、手術をわざわざ受ける必要はないでしょう。しかし、洋助がそうであるように、包茎を男のふがいなさに結びつけて考える男がいる限り、それはお金を払ってでも解消したいコンプレックスであり続けるのです。

『行け!!南国アイスホッケー部』（二一巻）のなかでも、これに似たエピソードが描かれています。直接的な言及はされていませんが、『かぶるオーセブン』（ペニスの皮がかぶることと、映画『００７』を組み合わせている）という、包茎をテーマに扱ったエピソードのなかで、ある男が、「あまつさえ金にモノを言わせてチンコをグレードアップするやからもあとをたたん!!」（一一三頁）と激怒しているように、包茎手術は、著書『平成オトコ塾』の塾長・澁谷知美が指摘しているように、男を対象にした企業戦略に他ならないのかもしれません。

マンガ⑦のなかでも触れましたが、人のコンプレックスに対する悩みは、たとえ信憑性を欠いていても、他者によって意味づけされることで増長され、ビッグビジネスにさえなるのです。

包茎コンプレックス以外に、男たちは、自分のペニスのサイズにコンプレックスを抱くことがしばしばあります。例として、『ピアノの森』の第一巻の冒頭をここにあげてみましょう。

ある小学校に、ピアニストを目指す小学生・雨宮修平が転校してくるのですが、転校矢先に、修平は、大柄なクラスメイトの金平大学に目をつけられてしまいます。

ここで、ひ弱な修平に大学は、学校裏の森に置いてあるお化けピアノを弾いてくるか、みんなの

図23　『行け!!南国アイスホッケー部』21巻、113頁

前で自分のペニスを見せるかの二者択一を迫ります。転校早々のいじめに困り果てた修平に、救いの手を差し伸べたのが、クラスメイトの一ノ瀬海です。海は、修平に男であることを証明するよう強要する巨漢少年の大学に対して、自分の「ちぃィ〜（中略）〜っこいちんこ」（二一〜二二頁〔頁番号なし〕）を見せてやれよと言い放ちます。さらに、海は続けます。**「俺は金で買えないモノをいっぱい持ってるんだ!!例えばでかいチンコ」**（二七頁〔頁番号なし〕）。

これを聞いた大学は逆上し、教室内で二人は揉み合い、一悶着を起こしてしまうのです。

ここで興味深いことは、男がペニスのサイズに特別なこだわりを持っているということです。つまり、自分の強さや男らしさを証明することが、ペニスの大きさを示すことであり、これは性器優位の男根期に見られる現象なのかもしれません。

巨漢少年の大学が、海の一言に激怒したのは、大学が自分の小さなペニスを引け目に感じ、それに対してコンプレックスを抱いているからにほかなりません。

『俺物語!!』（一巻）で、これまた巨漢男の剛田猛男が、彼女を作ることを面倒くさがる幼馴染で親友の砂川誠に、「おまえキンタマついてんのか?」（五〇頁）と言っていることからも分かるように、

図24　金平大学（左）と一ノ瀬海（右）：『ピアノの森』1巻、27頁（頁番号なし）

男であることを証明する上でペニス（性器）の存在は不可欠なのかもしれません。

ここまで夢精、包茎、ペニスのサイズにまつわるコンプレックスを取り上げてきましたが、現代では、かつてコンプレックスだったことがコンプレックスとして扱われない現象がしばしばみられます。その一つが、童貞コンプレックスです。

昔から、男たちは童貞であることを恥じ、女と寝た数を自慢し合ったものです。しかし、現代社会に生きる男たちにとって、童貞であることはもはやコンプレックスではないのです。

二〇一四年に、「日本家族計画協会」が二十代の男女五〇〇〇人を対象に行ったインターネット・アンケートに、興味深い結果が示されています。それは、二十代男性の四二％が、「異性と性交渉を持った経験がない」と回答したことです。理由は、彼女の前で男にならないといけないのが面倒くさい、自分より経験豊富な女の前で屈辱を味わいたくない、など様々ですが、こうした背景には、草食男子、イクメン、弁当男子、女子力男子といったことばが生み出され、男の在り方が多様化してきたことが深く関係しているのかもしれません。

また、近年、二次元の女の子に萌える男や、本物の女の子そっくりに作られたフィギュアに恋し

図25　剛田猛男（右）と砂川誠（左）：『俺物語!!』1巻、50頁

てしまう男など、女離れする男たちの数が特にオタク男子の間で増加する傾向にあります。
昔から性処理用に重宝されてきたダッチワイフも、現代のものは素材から関節の動きなど、細かい部分がリアルに再現され、顔もＣＧ技術を駆使して自分好みの女の子の顔にカスタマイズすることができるなど、現代はお金さえ払えば理想の女の子を手に入れることのできる時代なのです。
二次元の女の子、女の子フィギュア、ダッチワイフなど、文句ひとつ言わずに自分を満足させてくれる都合のいい女に恋する男たちは今後必ず増えていくことでしょう。
本物の女以上に理想的な二次元の女の子と恋愛をすることで、童貞である自分に自信を持ってしまう男もいます。言うまでもありませんが、童貞であることにコンプレックスを抱かない男たちの多くは、本物の女と恋愛することを疎ましく思う男たちです。
『男子高校生の日常』（一巻）のなかでは、恋愛とは縁遠い男子高校生たちが、「各員童貞力を限界まで高めろ」（五〇頁）と言って、男同士の士気を高める場面が描かれていますが、彼らにとって童貞であることは、恥じることを意味しません。むしろ、彼らのような童貞男子にとっては、男同士でいることのほうが楽な生き方なのでしょう。
コンプレックスを逆手にとってプラス思考な生き方を選ぶという点と、本物の女に依存せず、彼女たちを性的搾取の対象にしないという点で、童貞男子たちの生き方が社会に浸透することは決して悪いことではないのかもしれません。
ここまで述べてきたように、現代は、包茎にしてもペニスのサイズにしても医学的治療で解消することができ、また、童貞であることすらもポジティブに受け入れられる時代なのです。今後、童貞男子の増加に伴い、女がいなくても男は一人前の男になれる、といった新しい考え方をもった男たちの数は着実に増えていくことでしょう。コンプレックスがコンプレックスでなくなる日は、そう遠くないかもしれません。

消費者としての男を生み出す企業戦略

著書『女子力男子』のなかで、著者の原田曜平が力説するように、現代社会において、消費の主役は、女たちから若年層の男たちへと変わりつつあります。

マンガ⑦のなかで取り上げた、美容化粧品を販売する会社ファンケル（作中ではファンクル）は、これまで「無添加メン」をキャッチフレーズに、男のための化粧水、美容液、乳液を販売してきましたが、スキンケアをする暇のない多忙な日々を送る男たちも消費者として取り込むべく、二〇一五年二月より新しい商品を販売しました。それが、先に挙げた三つのアイテムが一つになった、「オールインワン・スキンコンディショナー」です。美容に比較的関心の高い若年層の男たちのみならず、多様な年齢層の男たちをも消費者として取り込もうと考える、企業側の戦略がうかがえます。

多様な年齢層の男たちを取り込むという点で、高齢化の進む日本では、近年、男のアンチエイジングを目的とした美容品も数多く開発されています。多くの企業は、老いと向き合い自分らしく人生を歩もうと考える人たちに、「若さを取り戻し、新たな人生のスタートを切りましょう」といった甘い宣伝文句で近づき、消費へと誘導します。
　そして、男を消費者として取り込む上で、最も論理的かつ有効な方法が、男のコンプレックスに的を絞った商品を売り出すことです。個人の抱える様々なコンプレックスを対象にすれば、コンプレックスの数だけ商品が作れ、上手くいけば高利益をあげることができるわけですから。『サザエさん』の父・磯野波平は、風呂上がりに育毛剤をよく使っていますが、それは波平が禿げていることにコンプレックスを抱いているからにほかなりません。
　近年、コンプレックスを医学的に直す動きも多く見られるようになりました。マンガ⑦では、毛深い自分にコンプレックスを抱く男たちの悩みを改善する、メンズ脱毛エステについて取り上げましたが、他にも似たような男性向けの治療は多く存在しています。
　一九九八年には、アメリカのメルク社によって、男の脱毛の悩みを解消する医薬品育毛剤プロペシアが、同年、アメリカのファイザー社によって、男の勃起不全を手助けする医療用治療薬バイアグラがそれぞれ開発されています。
　この他に、肥満に伴うダイエットに関しても、深刻な場合は、胃バイパス手術といった減量方法がありますし、顔に関するコンプレックスも、美容整形手術で解消できる場合があります。美容整形の大手・高須クリニックの統計データによれば、全体の患者数において男性患者の占める割合は二〇～三〇%で、決して高いパーセンテージではありませんが、美意識をもった男たちが少なからず増えてきていることがうかがえます。
　コンプレックスは多くの場合、自分と他人を比較することで生まれ、そんな自分を、他人と同じ

マンガ⑦　男のコンプレックス

自分に変えたいと強く願えば願うほど大きくなります。

マンガ⑦のなかで、谷町友介は人間を、「言葉に左右される生き物」と表現していますが、これをコンプレックスに当てはめて考えれば、「包茎」や「童貞」といったことばがあるがゆえ、男たちはそれらに左右され、包茎男子は包茎手術を受けることで、童貞男子は非モテに対応した様々な商品を買うことで、自分を新しい自分に変えようと努力するのです。そして、企業側はこうしたことばを巧みに利用することで、莫大な利益をあげられるのです。

ここまで、男のコンプレックスと企業戦略についてお話ししましたが、コンプレックスを商業に取り込み利益をあげる企業の仕組みを、個人のコンプレックスに付け込む金儲けである、と批判的に見る人もいることでしょう。しかし、コンプレックスを解消することで、明るい未来が訪れるのであれば、それは必ずしも批判されるべきことではないように思えます。

男が女と同じように、美容品を使って自分磨きやアンチエイジングに励んだり、毛深いことや頭髪が薄いことに対するコンプレックスを解消することで、自分たちの内に潜在する美意識に気づくことができるのであれば、それは男の価値観を多様化させることにもつながっていくはずです。

関連マンガ案内

いけだたかし『34歳無職さん』角川書店、二〇一四年
石原まこちん『The 3名様』小学館、二〇〇七年
一色まこと『ピアノの森』講談社、二〇〇五年

井上淳哉『BTOOM!』新潮社、二〇〇九年
井ノ本リカ子『30歳の保健体育』一迅社、二〇一一年
押見修造『悪の華』講談社、二〇一〇年
克亜樹『ふたりエッチ』白泉社、一九九八年
河原和音（原作）・アルコ（作画）『俺物語!!』集英社、二〇一二年
久米田康治『行け!!南国アイスホッケー部』小学館、一九九二年
シモダアサミ『中学性日記』双葉社、二〇一四年
永井三郎『青春エレジーズ』新潮社、二〇一五年
中野独人（原作）・渡辺航（作画）『電車男』秋田書店、二〇〇四年
中原アヤ『ラブ★コン』集英社、二〇〇二年
PEACH-PIT『ローゼンメイデン』集英社、二〇〇八年
福本伸行『あくたれRUDE39』竹書房、一九九九年
藤巻忠俊『黒子のバスケ』集英社、二〇〇九年
古舘春一『ハイキュー!!』集英社、二〇一二年
古谷実『サルチネス』講談社、二〇一二年
山内泰延『男子高校生の日常』スクウェア・エニックス、二〇一〇年
羅川真里茂『赤ちゃんと僕』白泉社、一九九二年
渡辺航『弱虫ペダル』秋田書店、二〇〇八年
渡航『やはり俺の青春ラブコメはまちがっている。』スクウェア・エニックス、二〇一五年

＊出版年は単行本・コミック発刊時のもので、第一巻のみを提示しています

マンガ⑧

男たちのこれから

主な登場人物

中ノ島　久子

友介の幼馴染・哲平の祖母。谷町輝雄とは飲み友達の間柄。

谷町（たにまち）　輝雄（てるお）

友介の祖父。妻に先立たれ、現在は一人暮らしをしている。

八尾（やお）　萌花（もえか）

友介の彼女で高校三年生。カフェ・ニューヨークでアルバイトをしている。

谷町（たにまち）　友介（ゆうすけ）

父親と二人暮らしをしている高校三年生。萌花とは恋愛関係にある。

俺さ
ニューヨークの
大学でジェンダーに
ついて学びたいんだ

その近くには
あの有名な
ニューヨーク公立
図書館もあるんだよ

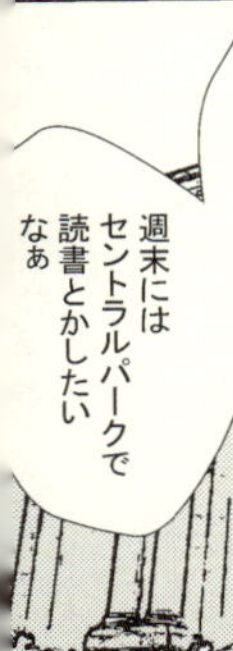

アメリカの東と西海岸
は色んな国から来た
人たちが共存共栄
している場所だから
そこに住むだけ
でも自分の視野
は必ず広がる
いいな～

ニューヨークって
あの有名なタイムズ
スクエアのあるとこ
だよね？

そうそう
学校から
結構近い
らしいんだ

ニューヨークは
地下鉄も発達してて

京都みたいに
観光だって簡単
に楽しめる

お前も
一度は
遊びに来い
よな
本場の
カップ
ケーキ
食べたい
な！

哲平～
谷町が羨ましいな・・・
哲平ってば！
あっ 町子 それに 萌花さんも
考え事しながら歩くと危ないわよ
お前たちこそどっか行くの？
萌花さんと買い物に行くのよ
彼氏の友介にプレゼント買うんだって
あ～ あいつのアメリカ行きのお祝いプレゼントね
えっ？
アメリカ行きってどういうこと？
またまた～ あいつニューヨークの大学に留学するんでしょ？

しーん

えっ・・・そうなの・・・

そんな話
私たち何も
聞いてないわよ

谷町くん
親友の哲平くんには
教えて私には何も
教えてくれないのね・・・

その情報
って確か
なの？
間違いないよ！
本人から
ちゃんと
聞いたし

結局男の人
にとって大切
なのは男友達
ってことね
女はただの
恋人に過ぎない
んだわ

町子さん
今日は付き合って
くれてありがとう

私帰るね
萌花さん・・・

翌日
あ〜暇だ
この店いつも客少ないよね
やっぱみんなス●バとかのほうがいいんだろうね
そうそう
この間哲平と遊びに行ったんだけど
クランフロントですっごくお洒落なカフェ見つけてさ
そこの四季のタルトが美味しくて
今度は萌花と行きたいな〜って
ねえ谷町くん
ん?
どした?
高校卒業したらニューヨークに行くって本当なの?

哲平の奴勝手に話したのかよ
ムカッ
何よ！
なんで私に先に教えてくれないのよ！
そんな怒んなよ近々直接話そうと思ってたんだよ
俺とあいつは幼馴染で長い付き合いだから相談もかねて話したんだよ
そうね当然だよね・・・
私と友介くんはまだ知り合ったばかりだし
なんか男と女ってほんと難しい生き物だね・・・

画像：雑誌『ジェンダーレスstyle』(2016年)

話戻すけど俺さ・・・前からジェンダー問題にはすごく興味あったんだ
父親からの影響も無論あると思う・・・
でも父さんは仕事より俺のことをいつも優先してくれる
うちは父子家庭だから父さんは大変だと今でも思う
そのせいで会社の出世コースからは完全に脱線
世間では男も育休が取れる時代とか言われてるけど現実は全然違うんだよ
父さんよく言ってた職場に自分で作った弁当を持っていくたびに「新しい奥さん候補でも見つかったの？」って・・・日本はまだそのレベルなんだよ
でもアメリカは違うんだ州にもよるけど向こうでは男女が平等に仕事と家事をするのが日本より一般化している
日本はこれから確実に少子高齢化が進む
晩婚化で男のおひとり様も必ず増えていくはずだよ
ドーン!!
だから俺たち若い世代がそういう種々の問題についてもっと真剣に考える必要があると思うんだ

友介～！
ガチャ
じいちゃん それに哲平んとこ のばあちゃんも
久しぶり じゃな
元気に してたかい？
谷町 輝雄
中ノ島 久子
ここは居酒屋じゃ ねえ～ぞ コーヒー 飲まないのに何しに 来たんだよ
お前がアメリカに 行くって聞いた から祝いに来て やったんだよ
それより・・・
なんだなんだ まだ若いくせに 少子高齢化だなんだ 心配しやがって
ワシは女房に先立たれて 今はおひとり様だけどよ お前ら若者の世話になんて ならね～からな
ジジイやババア のこと気にする暇 あんなら留学の 勉強をせんか
人がせっかく 考えてやってんのに
薄情なじいさん だな 全く
いいか友介 この世の中 金さえあれば 男一人でも 生きていけるんだ

金があることに越したことはないけど
おひとり様ライフは常にリスクを伴うもんだよ
ここ禁煙なんだけど…
最近よく耳にする年寄の孤独死
ジジイの孤独死は特に悲惨らしいね
男ってのは口下手で近所づきあいとか苦手なのが多いから
死体の腐臭や虫の大量発生でやっと近所の人間は気づく
ば～ちゃんあんまグロい話すんなよ！
いや～ん怖い！
そもそも一人暮らしのリスクは誰にでもあるだろ
独身男性とか男子大学生とか一人暮らししてる男は結構いんだから

2011年
10月30日
体調不良で119番
通報したのに
救急を要さない
と判断されて
放置された
大学生の話聞いた
ことある？
「届かなかった」119番
コレが"問い合わせ"!?
結局大久保くんは
その後息を引き取り
一週間後に遺体で
発見されたんだよ
だから年寄とか
大久保祐映さん（当時19）
1人暮らしのアパートで
遺体となって発見された
＊詳細は次のURLを参照:http://tanteiwatch.com/14689
結局一人で
生きるってことは
簡単なことじゃない
ってことだね
離婚後
息子との二人暮らし
そんな生活を
維持できたのは
守るべき存在
つまり俺が
いたからだって
前に父さんが
言ってた

でもよ 既婚者だろうが独身者だろうが人はいずれおひとり様になるんだ
俺は他者依存な生き方はぜってしたくねぇ
他者依存が嫌なのは分かるけど家族はだめなの？
どっちもあてにはなんね～
そんなこたぁないよ
ドラマ『渡る世間は鬼ばかり』とかでも描かれてるけど他人同士だって助け合って生きていくことはできるんだ
5人姉妹の苦悩を描く
『渡る世間は鬼ばかり』野田家の場合
長女・弥生には夫・良との間に2人の子供がいるが、いずれも絶縁状態。そんな中、長男の元嫁・佐枝と彼女の連れ子・良武、そして長女の息子勇気が野田家で共に暮らすことに・・・
弥生
佐枝
良武
勇気
良
これからの時代男の二人暮らしだってあり得る
むしろ両方とも働いてるなら経済的にはリッチな生活ができるんじゃないかね
男同士の相互扶助なんて無理に決まってら～
仕事と家事の板挟みで共倒れするのが目に見えとる

まあ確かに
どっちかが大した職にも
就いてないとなりゃ
主従関係ができちまうから
うまくはいかなくなる
だろうね
あ・あの～
ある本で
読んだこと
があるんですが
三つの条件
を満たせば
男同士の相互
扶助も可能
みたいですよ
①弱い自分を相手に
さらけだす
②同居せずお互い近い
場所に住む
③相手の良い部分を
褒める
この三つを
満たせば男同士
の相互扶助は
可能だそうです
特に
弱い自分を相手に
ちゃんと見せられる
ことでより相手と
親密な関係を築ける
弱音を
はいて
いいんだぞ
お前本当
にすごいよ
＊澁谷知美『平成オトコ塾―悩める男子のための全6章』（31-35頁）を引用
俺も
その考え方には
共感できるな
俺と哲平が16年間
近く仲良しでいられて
るのも・・・
お互いを
偽らず尊重
し合ってきた
からだし！

時代も変われば考え方も変わるもんだね
女に頼らず男同士で相互扶助
一見聞こえはいいけど要するに女とうまくやってけない男のための処方箋じゃないか
そんなだからこの国の少子化はどんどん進むのさ
男同士の相互扶助より独身貴族を謳歌してる男たちへの処方箋の方が先さ
ばあちゃんその考え方じゃあグローバル化する現代を生き抜くことはできないよ
俺がアメリカに行くのは・・・
色んな人種・民族・宗教観を持つ人たちがぶつかり合いながらも共存する世界をこの目で見たいからなんだ
だから俺は・・・
友介（ゆうすけ）
まあ頑張れや
じいちゃん

それじゃあ
わしらはそろそろ
お暇するよ
今日は
来てくれて
ありがとう

孫思いのいい
おじいちゃんね
うん

ねえ
谷町くんの
やりたいことって
アメリカじゃなきゃ
出来ないことなの？
日本じゃ
出来ないの？
何も言って
くれないのね
哲平くんには
なんでも話すのに

麗しい友情で結ばれた
二人の間に私の入る
余地なんてないんだわ
きっと・・・
いい加減に
しろよ！
そ・・・そんな
怒鳴らなくても
いいじゃない
男同士にしか
分からないこと
がこの世の中には
沢山あるんだよ
第一 哲平と俺は
単なる友達じゃ
ないかよ
それ
なのに・・・
勝手に嫉妬されても
困るよ・・・俺
自分がやりたいこと
あきらめてまでする
恋愛って意味あるの
かなって今になって
思う・・・

俺たち・・・

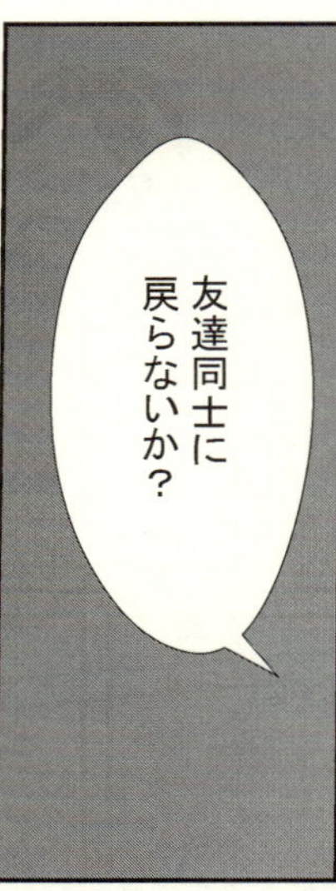

友達同士に戻らないか？

な・なんでそんなこと言うのよ

俺さ 男には男にしか分からないことがあると思うんだ
男女の考え方の違いっていうか・・・
当事者性の問題っていうか・・・
正直言うと

萌花(もえか)に言いにくいことも哲平(てっぺい)になら気楽に言える
あいつはただ俺の話を聞いてくれるんだよ

萌花のこと
今でも好きだけど
気持ちにすべて応じて
あげる自信ないよ
俺・・・
しばらく
距離を置いて
また付き合い
直すことだって
できるよ！
黙ってないで
何か言ってよ
急にデートに誘ったり
キスに告白・・・
父子家庭の自慢話
はさておき私が色々
聞けば鬱陶しそうな
態度をとるだけ・・・
私の時間返してほしい
男はコミュニケーション
能力が低いって言って
たけどアメリカ留学で
それが克服できると
いいわね！

＊本作の内容・結論は初版のそれとは大きく異なります。これは、筆者の手元にある未使用のデータを用いることで、読者に男性問題をより深く考えてもらう為に選んだ変更です。ご理解いただければ幸いです。

男女共同参画社会

二〇〇〇年代以降、男女共同参画ということばをよく耳にします。ここに、男女共同参画社会基本法の第一章第二条が提示する、この法律の定義を取り上げてみます。

「男女共同参画社会の形成　男女が、社会の対等な構成員として、自らの意思によって社会のあらゆる分野における活動に参画する機会が確保され、もって男女が均等に政治的、経済的、社会的及び文化的利益を享受することができ、かつ、共に責任を担うべき社会を形成することをいう」。

これだけを読むと、社会のあらゆる分野に男女が共同で取り組むことを促進する、画期的な法律のように思えます。しかし、「平等」ではなく、「共同」ということばが使われていることからも分かるように、この法律は、女に男と平等な立場を約束しているわけではないのです。

また、女にも主体的に社会参加を促すこの法律は、女にもっと強くなって、男をしのぐような存在になることを求めているわけでもありません。この点で、この法律に希望を見いだせない女は多くいることでしょう。

シャーロット・P・ギルマンの小説『女だけのユートピア』が描く、女だけの世界があればいいですが、現実世界が男と女で成立している限り、虚構に希望を求めることよりも、両者にとってのユートピアを見出すことのほうが重要なのは言うまでもないでしょう。

「平等」ということばを嫌う政治家や、すべてが「平等」になることで他と競争できなくなることを危惧する資本家が存在し続ける限り、この法律の名称が、男女共同参画社会基本法から男女平等参画社会基本法に変わることはないでしょう。
しかし、共同や平等ということばは、表面上の問題として受け止めておけばいいのです。本当の意味での変革は、ことばではなく、それを考え改めることを続ける忍耐ある人なくして成されないのですから。

本当の幸せは弱い自分を認めることで訪れる

少子高齢化の進む日本では、近年、晩婚化現象が顕著にみられるようになってきました。これには、非正規雇用の問題や、女の自立といった男女の在り方の変化など、様々な要因が考えられます。
今後、晩婚化に伴い、独り身の男が増えることは間違いないでしょう。仕事やお金、頼る親もなく、さらに女にもモテないとなると、そんな男が独り身で生きていくことは困難を伴います。
逆に、平均的な容姿と収入が揃っていれば、結婚をしなくても女に不自由することなく、独り身ライフを満喫することはできるでしょうが、果たしてそれは、本当の意味での幸せなのでしょうか。
『アルプスの少女ハイジ』に、アルムの山奥で一人暮らす、人間嫌いで偏屈なおじいさんが登場します。村人はみな、人付き合いを全くしようとしないこのおじいさんを、アルムおんじと呼んでいます。このアルムおんじは、飼い山羊から取れる乳で作ったチーズや、自慢の木彫り細工を売って生計を立てることのできる、いわゆる独り身ライフを満喫する男です。しかし、そんなおんじが、唯一お金で買えないものがあります。それは、愛と幸せです。

いつも自分の殻に閉じこもって生きるアルムおんじは、人当たりのいい山羊飼いのペーター少年ですら話しかけるのをためらうくらい、近寄りがたい男です。そんなおんじですが、孫のハイジと出会い、彼女と二人で暮らすことで、これまで内にしまい込んできた、本当は情に厚く優しい自分を取り戻していきます。以後、おんじは、村人たちとも和解し、孫娘と二人幸せな余生を送るのです。

虚勢を張って無理な自分を演じて生きるのではなく、自分の内にある弱さを認めて、それを家族、恋人、友人にさらけ出せるような男に、本当の意味での幸せが訪れるのです。

女に頼らない生き方

男女共同参画の進む現代、男に頼らず生きていくために、手に職をつけ自立を目指す女たちの数は確実に増えています。このような時代において、男たちは、女に頼らない生き方を模索していく必要があります。たとえ結婚をしなくても、お金さえあれば自分に都合のいい女は自然に寄ってくる、といった男尊女卑的な考え方が通用しなくなる日はすぐそこまで来ています。人間の性の在り方が多様化する現代は、男同士でも助け合えるような生き方が必要な時代なのかもしれません。

マンガのなかで男同士の助け合いが描かれる場合、ほとんどが戦争やスポーツをテーマに扱った作品のなかで、敵を倒すために一致団結する男同士の助け合いという形で描かれます。しかし、そのような助け合いは、現実生活では何の役にも立ちません。戦いの日々に明け暮れ、男らしさや肉体的な強さだけで生計を立てられるのは、空想科学マンガのなかの勇者たちだけです。男が女に頼ることなく、男同士で助け合って生きていくことは、果たして本当に可能なのでしょうか。
著書『男おひとりさま道』のなかで、上野千鶴子は、男がシングルとして生きていくには、身の回りの面倒を一手に引き受けてくれる母親のような異性の友人を見つけることが欠かせず、上野は、男同士の相互扶助の可能性を、「「弱さの情報公開」のできない男同士の関係では、困ったときの助けにならない」（二八四頁）と、否定します。
これは言い換えれば、独り身男が自分の弱さを同性の友人にさらけ出すことさえできれば、女に頼らずとも生きていけるということです。
『ドラゴンクエスト――ダイの大冒険』（七巻）のなかで、獣王でワニ男のクロコダインは、自分よりも強い勇者ダイや魔法使いのポップと出会ったことで、ある結論に達します。
「オレは男の価値というのは　どれだけ過去へのこだわりを捨てられるかで決まると思っている。たとえ生き恥をさらし万人にさげすまれようとも」（七二頁）。
ここに挙げたクロコダインの台詞からも分かるように、たとえ他人にどう見られようと、どれだけ自分の男らしさやプライドを捨てられるかで、男の人生は良くも悪くも変わる可能性を秘めているのです。
男だからといって、同性を常にライバル視する必要はなく、本当に困ったときは意地を張らず、友に救いを求めていいのです。女に頼らない生き方の第一歩は、弱い自分を認め、それを素直に見せることのできる自分になることからはじめることです。

男同士の相互扶助は可能である

ここまで述べてきたように、互いの弱さを認め合い、素直に助けを求め合える友人をつくることで、男同士の相互扶助は可能になります。

マンガ⑧のなかでも触れましたが、男同士の相互扶助は、気の知れた信頼できる友人同士や、経済的困窮といった同じ境遇にある者同士の間で成されるのが一般的ですが、常に異性愛者の男同士の間で成立するわけではありません。既存するマンガのなかには、性的指向の違いを超えた男同士の相互扶助の在り方を描く作品があります。

その例として、『まばたきのあいだ』(一巻)に描かれる、西岡秀陽(ゲイ)と、幼馴染で四つ年上の北山晴海(ノンケ)の関係を取り上げてみましょう。

西岡秀陽は、幼馴染の北山晴海がノンケであることを知りながら、彼に恋してしまいます。その後、秀陽は晴海に自分の想いを伝えることができないまま二〇歳を迎えるのですが、そんな成人を迎えた秀陽に晴海から一通のメールが届きます。

「俺結婚するわ」(一六頁)。

この一言で秀陽の初恋は儚くも終わりを迎え、以後、二人の関係は疎遠になります。

しかし、ある日、社会人となった二人は、町中で偶然の再会を果たします。そこで秀陽は、晴海に一人娘がいること、また、彼の妻が事故でもうこの世にいないことを知ります。一人、仕事と育児に追われる晴海に再び恋心を抱いてしまった秀陽は、彼の育児を手伝うことを口実に、幾度も家に足を運ぶようになり、二人は昔のような友情関係を取り戻していく、というのがこの物語の大まかな内容です。

当初は育児の手伝いをする目的で晴海の家に足を運んでいた秀陽ですが、時間を重ねるごとに彼への想いを抑えることができなくなり、とうとう本心を伝えてしまいます。亡き妻を忘れられない晴海は、「嫁さんのことでまだ頭いっぱいなんだよ」（二巻、四五頁）と、秀陽の告白を断るのですが、決して彼を邪険には扱いません。むしろ、仕事と育児で大変な自分を助けてくれる秀陽に感謝し、今のままの関係を続けたいと望むのです。

図 26　西岡秀陽（左）娘（中央）北山晴海（右）：『まばたきのあいだ』2 巻、182 頁

その後、亡き妻のことを振り切れた晴海は、秀陽の気持ちを受け入れ、秀陽、晴海、娘の三人は一つの幸せな家族となり、物語はハッピー・エンドで終わります。

このような話は、現実では絶対にあり得ない話かもしれません。しかし、いくつかの条件が揃っていたからこそ、二人は家族になることができたのです。それは、二人が幼馴染で深い友情関係であること、晴海が妻以外の女を愛せないこと、さらに、二人が決して性的関係を持たないこと、の三つの条件です。

作中で二人が唯一交わす肉体的接触は、軽いキス、抱擁、手をつなぐことくらいで、それ以上の関係は決して結びません。

欧米では、深い友情で結ばれた男同士が抱擁し合うことは普通なことです。イタリアやギリシャでは、挨拶として男同士がキスをすることがありますし、インドでは、男同士で手をつないで歩くことは固い友情を意味する場合があります。同じく、中国では、男同士で肩を組んで歩くことは熱い友情の証です。いくつかの条件の一致で、性的指向の違う者同士が相互扶助に至ることは、全くあり得ない話ではないのです。

亡き妻のことしか愛せない晴海にとって、幼馴染で信頼できる秀陽は、都合のいい相手である、と曲解することもできるでしょう。もしくは、自分の親や親戚に情けない姿をさらすよりも、気心の知れた同性の親友に頼ることのほうが、自分の面子を潰さずに済むと考えたからとも解釈できます。

ただ、どのような理由にせよ、晴海の決断から学べることは、なんでも自分でこなすスーパーマンを無理に演じるよりも、他人に頼れるときは頼る柔軟な人間であることのほうが、より幸せな人生を送れる機会に巡り会えるということです。このような男同士の相互扶助が、マンガの世界だけの話でなくなる日はそう遠くないかもしれません。

近年、男同士の相互扶助をテーマに扱うマンガ作品は増える傾向にあります。例えば、『パパと親父のウチご飯』のように、彼女を妊娠させてしまい子供だけを押し付けられた男と、妻との離婚で子供を引き取った男の二人が、共同生活をして仕事と育児を両立させる、といった斬新なテーマを扱う作品が例として挙げられます。

この作品でも、二人の男は、それぞれの抱える悩みをきちんと口に出し、お互い持ちつ持たれつの関係のもと、人間関係を深めていきます。男の在り方が多様化すればするほど、こうした作品は多く描かれていくことでしょう。

ここに取り上げた作品以外に、『ニューヨーク・ニューヨーク』や『きのう何食べた?』のように、ゲイ・カップルの間の相互扶助をテーマに扱うマンガ作品も多くありますが、ゲイ・カップルにとっての相互扶助は、男女の夫婦関係のそれと同じく、あって当然な協力関係ですので、異性愛者の男同士の相互扶助と同一視はできないでしょう。

ただ、人の在り方が多様化する現代において、ゲイ・カップルの二人暮らしから学べることも多くあるのではないでしょうか。さらに、極端に聞こえるかもしれませんが、人類に猿から人へと進化した歴史があるように、今後、もし男に進化する可能性が少しでもあるのなら、マンガ『ANIMAL X』で描かれるような、男の妊娠が可能になるときがいつの日か訪れるかもしれません。

関連マンガ案内

青桐ナツ『flat』マッグガーデン、二〇〇八年
安野モヨコ『働きマン』講談社、二〇〇四年
今市子『大人の問題』芳文社、一九九七年
宇仁田ゆみ『うさぎドロップ』祥伝社、二〇〇六年
柿本ケンジロウ『ふたり暮らし』集英社、一九九三年
古味直志『ニセコイ』集英社、二〇一二年
さそうあきら『愛がいそがしい』双葉社、二〇〇七年

三条陸（原作）・稲田浩司（作画）『ドラゴンクエスト――ダイの大冒険』集英社、一九九〇年
杉本亜未『ANIMAL X』白泉社、一九九五年
須久ねるこ『まばたきのあいだ』講談社、二〇一四年
時計野はり『学園ベビーシッターズ』白泉社、二〇一〇年
豊田悠『パパと親父のウチご飯』新潮社、二〇一四年
フランシス・ホジソン・バーネット（原作）・田中史子（漫画）・他『小公子セディ』学習研究社、一九八八年
古屋兎丸『少年たちのいるところ』新潮社、二〇一七年
山田秋太郎『LOAN WOLF』少年画報社、二〇〇〇年
よしながふみ『きのう何食べた？』講談社、二〇〇七年
ヨハンナ・スピリ（原作）・高畑勲（監督）『アルプスの少女ハイジ』徳間書店、一九九六年
羅川真里茂『僕から君へ』白泉社、二〇〇五年
羅川真里茂『ニューヨーク・ニューヨーク』白泉社、二〇〇三年

＊出版年は単行本・コミック発刊時のもので、第一巻のみを提示しています

主要参考文献

【日本語文献】

荒川和久『結婚しない男たち増え続ける未婚男性「ソロ男」のリアル』ディスカヴァー・トゥエンティワン、二〇一五年
池谷孝司『死刑でいいです――孤立が生んだ二つの殺人』新潮社、二〇〇九年
石川大我『ボクの彼氏はどこにいる?』講談社、二〇〇九年
市橋達也『逮捕されるまで――空白の2年7ヵ月の記録』幻冬舎、二〇一三年
伊藤公雄『男性学入門』作品社、一九九六年
――『〈男らしさ〉のゆくえ――男性文化の文化社会学』新曜社、一九九七年
伊藤公雄・牟田和恵編『ジェンダーで学ぶ社会学』世界思想社、二〇〇〇年
伊藤公雄・樹村みのり・國信潤子『女性学・男性学――ジェンダー論入門』有斐閣アルマ、二〇〇三年
伊藤公雄編『マンガのなかの〈他者〉』臨川書店、二〇〇八年
伊藤悟・簗瀬竜太『異性愛をめぐる対談』飛鳥新社、一九九九年
井上輝子・上野千鶴子・江原由美子編『男性学』岩波書店、一九九八年
上野千鶴子『マザコン少年の末路』河合出版、一九九四年
――『女ぎらい――ニッポンのミソジニー』紀伊國屋書店、二〇一〇年
――『男おひとりさま道』文藝春秋、二〇一二年

氏家幹人『武士道とエロス』講談社、一九九五年
海野弘『ホモセクシャルの世界史』文藝春秋、二〇〇八年
大塚隆史『二丁目からウロコ――新宿ゲイストリート雑記帳』翔泳社、一九九五年
押山美知子『少女マンガ ジェンダー表象論――〈男装の少女〉の造形とアイデンティティ』彩流社、二〇〇七年
柿沼瑛子・栗原知代編『耽美小説・ゲイ文学ブックガイド』白夜書房、一九九三年
風間孝・キース・ヴィンセント・河口和也編『実践するセクシュアリティ――同性愛/異性愛の政治学』動くゲイとレズビアンの会、一九九九年
鹿嶋敬『男女共同参画の時代』岩波書店、二〇〇三年
加藤秀一・石田仁・海老原暁子『図解雑学 ジェンダー』ナツメ社、二〇一四年
門脇正法『少年ジャンプ勝利学――金メダルに必要なことはみんなマンガから教わった』集英社インターナショナル、二〇一二年
桐生操『世界ボーイズラブ大全――「耽美」と「少年愛」と「悦楽」の罠』文藝春秋、二〇一二年
國友万裕『BL時代の男子学――21世紀のハリウッド映画に見るブロマンス』近代映画社・SCREEN新書、二〇一四年
こんのひとみ・丸山誠司『男らしさ・女らしさって何?』ポプラ社、二〇〇三年
齋藤孝『スラムダンクな友情論』文藝春秋、二〇〇二年
斎藤美奈子『紅一点論――アニメ・特撮・伝記のヒロイン像』筑摩書房、二〇〇五年
佐伯順子『「女装と男装」の文化史』講談社、二〇〇九年
――『男の絆の比較文化史――桜と少年』岩波書店、二〇一五年
榊原史保美『やおい幻論』夏目書房、一九九八年

澁谷知美『平成オトコ塾――悩める男子のための全6章』筑摩書房、二〇〇九年
須永朝彦『美少年日本史』国書刊行会、二〇〇二年
千田有紀『ヒューマニティーズ――女性学／男性学』岩波書店、二〇〇九年
高井高盛『なぜ男は暴力をふるうのか』洋泉社、二〇〇一年
田中俊之『男性学の新展開』青弓社、二〇〇九年
――『男がつらいよ――絶望の時代の希望の男性学』KADOKAWA、二〇一五年
チームケイティーズ編『TEAM！ チーム男子を語ろう朝まで！』太田出版、二〇〇八年
中条省平『マンガの教養――読んでおきたい常識・必修の名作100』幻冬舎、二〇一〇年
中島梓『美少年学入門』筑摩書房、一九九八年
中村彰『男性の「生き方」再考――メンズリブからの提唱』世界思想社、二〇〇五年
夏目房之介『マンガと「戦争」』講談社、一九九七年
鍋島祥郎『高校生のこころのジェンダー』解放出版社、二〇〇三年
西川祐子・荻野美穂編『男性論』人文書院、一九九九年
二村ヒトシ・金田淳子・岡田育『オトコのカラダはキモチいい』KADOKAWA・メディアファクトリー、二〇一五年
原田曜平『女子力男子――女子力を身につけた男子が新しい市場を創り出す』宝島社、二〇一四年
飛川直也『新宿二丁目ウリセン物語』河出書房新社、二〇〇四年
――『新宿二丁目ウリセン・ボーイズ』河出書房新社、二〇〇六年
深澤真紀『平成男子図鑑――リスペクト男子としらふ男子』日経BP社、二〇〇七年
伏見憲明『変態（クィア）入門』筑摩書房、二〇〇三年
堀あきこ『欲望のコード――マンガにみるセクシュアリティの男女差』臨川書店、二〇〇九年

前川直哉『男の絆――明治の学生からボーイズ・ラブまで』筑摩書房、二〇一一年
前田和男『男はなぜ化粧をしたがるのか』集英社、二〇〇九年
松倉すみ歩『ウリ専！』英知出版、二〇〇六年
三浦展『非モテ！――男性受難の時代』文藝春秋、二〇〇九年
宮台真司・辻泉・岡井崇之編『「男らしさ」の快楽――ポピュラー文化からみたその実態』勁草書房、二〇〇九年
妙木浩之『エディプス・コンプレックス論争』講談社、二〇〇二年
メンズセンター編『男の子の性の本――さまざまなセクシュアリティ』解放出版社、二〇〇〇年
森岡正博『感じない男』筑摩書房、二〇〇五年
――『草食系男子の恋愛学』メディアファクトリー、二〇〇九年
諸富祥彦『さみしい男』筑摩書房、二〇〇二年
やなせひさし『ネカマ日記――体験！「出会い系サイト」のウラ』宝島社、二〇〇五年
山極寿一『オトコの進化論――男らしさの起源を求めて』筑摩書房、二〇〇三年
ヤマザキマリ『男性論――ECCE HOMO』文藝春秋、二〇一三年
山本文子・BLサポーターズ『やっぱりボーイズラブが好き〜完全BLコミックガイド〜』太田出版、二〇〇五年
四方田犬彦・斉藤綾子編『男たちの絆、アジア映画――ホモソーシャルな欲望』平凡社、二〇〇四年
若桑みどり『戦争とジェンダー――戦争を起こす男性同盟と平和を創るジェンダー理論』大月書店、二〇〇五年
渡辺淳一『男というもの』中央公論新社、二〇〇一年
渡辺恒夫『脱男性の時代――アンドロジナスをめざす文明学』勁草書房、一九八六年

【英語文献】（邦訳書も含む）

デイヴィッド・ギルモア（前田俊子訳）『「男らしさ」の人類学』春秋社、一九九四年

ジョーン・スミス（鈴木晶訳）『男はみんな女が嫌い』筑摩書房、一九九二年

イヴ・K・セジウィック（上原早苗・亀沢美由紀訳）『男同士の絆――イギリス文学とホモソーシャルな欲望』名古屋大学出版会、二〇〇一年

ジュディス・バトラー（竹村和子訳）『ジェンダー・トラブル――フェミニズムとアイデンティティの攪乱』青土社、一九九九年

ワレン・ファレル（石井清子訳）『男の不可解 女の不機嫌』主婦の友社、一九八七年

ロバート・ブライ（野中ともよ訳）『アイアン・ジョンの魂』集英社、一九九六年

スーザン・ブラウンミラー（幾島幸子・青島淳子訳）『女らしさ』勁草書房、一九九八年

サビーネ・フリューシュトゥック他編『日本人の「男らしさ」――サムライからオタクまで「男性性」の変遷を追う』明石書店、二〇一三年

ピーター・ブロス（児玉憲典訳）『息子と父親――エディプス・コンプレックス論をこえて　青年期臨床の精神分析理論』誠信書房、一九九八年

Connell, Robert W. *Masculinities*, Polity, 2005

Kimmel, Michael. *Manhood in America: A Cultural History*, The Free Press, 1996

あとがき

ぼくの専門分野は、「男性研究」です。主に、歴史のなかで語られる男たちの経験について研究しています。
ぼくが、『マンガでわかる男性学』と銘打つ本書を書くに至った経緯は、単純明快です。男性学について、誰もが理解できる本を作りたい、この単純な発想のもと、マンガという形で本を書くことを決意しました。また、長年、ぼく自身がマンガを描くことを趣味にしてきたことも、この本を書く大きなきっかけになったと思います。
男性学を、ただマンガで紹介するのであれば、既存の多くの概説書がすでに十分すぎるほどの情報を提示してくれているので、あまり意味がありません。そこで、ぼくが着目したのは、普段気にも止められないような、個人的すぎるほどに個人的な男たちの経験について語ることです。このような発想は、ある著書との出会い抜きにはあり得なかったと思います。
著書『アメリカの成人男性——文化史』(*Manhood in America: A Cultural History*) のなかで、

男性史家マイケル・キメル（Michael Kimmel）は、従来の男の歴史が、本当の意味での男の歴史ではないと言います。それは、従来の歴史が、英雄や政治家といった、一握りの偉大な男たちのみにスポットライトを当てて書かれた、偏狭な歴史だからです。

キメルは、そんな歴史に書かれてこなかった、労働者、移民、有色人種、同性愛者の男たちのことばに耳を傾け、これまでの歴史のなかに埋没してきた彼らの歴史を掘り起こし、語るべきだと言います。

キメルのことばに触発され、普段、スポットライトの当たることのない男たちの人生や経験を、彼らに代わって紹介することはできないだろうか、と考え、本書を書きましたが、キメルの考えは壮大で、本書がその真似をしたところで、すべての男たちの経験について紹介できるはずもなく、結局、ぼくができたことは、一握りの男たちの経験を多角的に紹介することだけでした。

しかし、本書の役目が、限られた男たちの経験を語ることで終わってしまわないように、男たち（さらには男性学に関心のある人たち）が、互いの経験や考えを語り合える場をほかに用意しました。本書のマンガ作品で度々登場した、谷町友介（架空人物）のフェイスブック・ページを、語りの場として立ち上げています。普段、人には話せない個人的な悩みや、過去の経験、どんな些細なことでも構いませんので、共に語り合いましょう。こういった場で語られる一人ひとりの経験は、限られた男の経験しか描くことのできなかった本書よりも、力強いものとなることは間違いありません。

以下のURL「https://www.facebook.com/tanimachiyusuke」、もしくはフェイスブックで「谷町友介」と検索して、友達申請をお願いします。承認させていただいた後、書き込みや投稿内容の閲覧ができるようになります。
深くは語りませんが、キメルの著書との出会い以外に、ぼくが本書を書こうと思った動機は必然的だったように思えます。
『じゃりン子チエ』に描かれるような家庭とは違いますが、ぼくは、母が働き、父が家にいる、柔軟性に富んだ家庭環境で育ちました。『じゃりン子チエ』では、娘のチエが父親のテツに「なんで働かんのじゃい!」とよく怒鳴り散らしていましたが、ぼくの母が父のことについて批判的に語ったことは一度としてありませんでした。逆に、父親が外で働くことを当然視する周囲の人たちから、「なんで君のお父さんは働いていないの?」と聞かれるたびに、困惑したことを今でも記憶しています。
そんなぼくが、男としての自分自身や男の生き方について関心を持つことは、ある意味必然だったのかもしれません。多くの研究者と同じように、ぼくの男性研究は、個人的な問題からはじまったと、勝手ながら自己解釈しています。
本書には、八つのマンガ作品が収められていますが、実は、ここに載せることのできなかった作品がいくつも存在します。
マンガ④で取り上げた「ウリセン」に関してですが、オリジナルの作品は、本書に載せたものとは大きく異なります。二〇一二年から二〇一四年までの三年間、東京、大阪、福岡にあるウリセン・バーのボーイたちにインタビューを行い、彼らの壮絶な経験をマンガに描こうとしたのですが、彼らの経験を嘘偽りなく伝えるには、過激で生々しい性行為を絵で描かなくてはなりません。そのため、種々の理由から、あえなく載せることを諦めました。
また、マンガ⑥で紹介した犯罪者の男たちに関してですが、これも当初は、犯罪者の男一人に焦点をあて、彼との文通を通して知ることのできた波乱万丈な人生と犯した罪の重さを、絵で生々しく描いていたのですが、人を殺す場面や被害者家族を精神的に傷つけかねない理由で、載せることを断念しました。この他にも、様々な事情で載せることのできなかった作品が多くあり、大変心残りです。
四年間はマンガを描くことに、最後の半年間は文章を書くことに四苦八苦し、出来上がった本を手に取って見直すと、書き足したいことが盛りだくさんで、もっと手を加えて修正をしたいと何度も思いましたが、一人の人間ができることはたかが知れている、そう自分に言い聞かせ、執筆作業にピリオドを打ち、無事完成させることができました。
最後に、この場を借りて、本書を書くにあたってお世話になった方々に感謝の気持ちをあらわしたいと思います。
ぼくの非力なマンガ作品を、ネーム段階から何度も読んでアドバイスをしてくれたイラストレーターのHIROくん、本当にありがとう。また、多忙にもかかわらず、ぼくのつたない文章解説を何度も読んで、沢山の貴重な意見をくれた親友の古谷佑輔くん、君の熱い友情に感謝します。本書を出版するにあたり、出版社を探すことに尽力をしてくださった早稲田大学の石原剛先生、幾度もマンガ作品を読んで講評してくださった同志社大学の和泉真澄先生、お二人の温かいサポートに心からお礼を申し上げます。また、研究者仲間であり、ぼくの心の母でもある芝原妙子さん、あなたの応援に幾度励まされたことか、感謝の気持ちをことばだけであらわすことができません。本書の組版を担当してくださった村上幸生さんには、初校から本の完成まで様々なアドバイスをいただきました。この場を借りてお礼を申し上げます。その他にも、ここに名前を挙げられなかった多くの方々に深く感謝します。

行路社の楠本耕之さんにはたいへんお世話になりました。ぼくからの突然の出版相談の電話に動じることなく、快く会ってくださり、ぼくの本書に対する熱い思いを親身に受け止めてくださった楠本さんと出会えたことは、ぼくの一生の宝です。

二〇一六年二月

水島 新太郎

改訂版 あとがき

2016年に出版した本書『マンガでわかる男性学』は、多くの読者の方々に関心を持って読んでいただいたことで、この度改訂版を刊行していただける運びとなりました。改訂版では、マンガ②と⑧の絵を全て描き直し、内容も若干ではありますが変えています。さらに多くの読者が本書を手に取り男性学に関心を持ってくださることを心から祈っております。

2018年2月　水島　新太郎

読者の皆さまへ

ここまで、本書を読んでくださったこと、心から感謝申し上げます。
本書では、様々な男の生き方を「マンガ」という形で表現しひも解いてきましたが、マンガ八作品を読んでいただいて分かる通り、男という性別を理解することは、結局のところこの世の中に存在するすべての人間を理解すること、つまり、終わりのない旅を意味しているのです。そんな終わりのない旅を一研究者として続けているぼくですが、最近次のような質問を自分に投げかけています。
「普通」とは一体何なのか。
歴史的に、マンガやアニメの世界では様々な男の生き方や在り方が描かれてきましたが、それらは、ぼくたちの考える「普通」とはかけ離れた、人間の想像力によって生み出された虚構の産物に過ぎないのでしょうか。
ここで、読者の皆さまに簡単な質問があります。
仕事、家事、学業、または何もすることがないなど、それぞれ異なる日々を送られている皆さまにとって、「普通」であることの意味は何でしょうか。
ただ平凡に日々の生活を送ることでしょうか。それとも、一言で簡単に説明することのできないもっと複雑なことなのでしょうか。
当初、この問いに対するぼくの考えはこうでした。
「ぼくたちが普通と思っていることは、実は普通なことなどではない」。
しかし、あるマンガ本との出会いを機に、ぼくは「普通」という言葉の意味の奥深さについて再度考えるようになりました。ここで少し、ぼくとその本の出会いについてお話ししたいと思います。
この本の改訂版の修正作業をするため、二〇一八年二月はずっと東京都港区麻布十番の親友宅に滞在していたのですが、マンガの描き直し作業に行き詰ったぼくは、度々、麻布十番から徒歩約十五分程度の場所にある六本木の小さな書店に足を運んでいました。この書店には、新旧、メジャーなものからマイナーなものまで、他の書店ではあまり目にしない本が多数置いてあります。その日、いつものようにマンガコーナーをうろうろしていたのですが、誰かにいざなわれるかのように、ぼくはある本の目の前に立ち、それを手にしていたのです。漫画家・古屋兎丸の作品『少年たちのいるところ』（新潮社、二〇一七年）。
この作品は、「普通」な高校生活を願う男子高校生で主人公の佐野霧、そんな霧につきまとう友人依存症の南野竜、自己催眠でしか自分の気持ちを竜に話せないゲイの奈良崎すばるの三人の友情と高校生活を描いた青春マンガ作品です。
この解説からも分かる通り、最近ぼくが「普通」についてより深く考えるようになったきっかけを与えてくれたのがこの本なのです。
話を戻しますが、本作の主人公・佐野霧の唯一の趣味は自慰行為です。平凡で「普通」な高校生

図 27　古屋兎丸『少年たちのいるところ』（表紙）

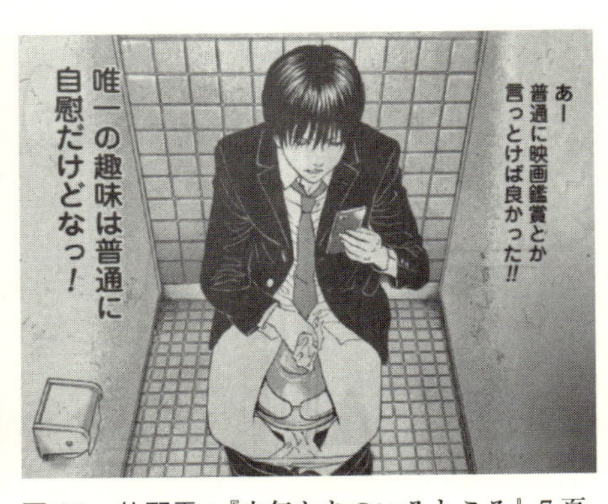

図 28　佐野霧：『少年たちのいるところ』7 頁

活を夢見ていた霧でしたが、友人依存症の竜やゲイのすばると出会い、自分と価値観の違う彼らと友人であることにストレスを感じるようになり、彼は「自慰依存」（七頁）に陥ります。しかし、違和感を持ち続けながらも、嫌なことは自慰行為で忘れることのできる霧は二人との友人関係をあえて続けていくことを選ぶのです。

喜怒哀楽という点で日本のマンガ作品によく見られるシナリオ設定ではありますが、順調に続くかにみえた三人の高校生活に、ある日突然大きな亀裂が生じることになります。友人依存症の竜が家族と共にカナダの高校に転校することになったのです。

このことがきっかけで、霧は学校ですばるとも話さなくなり独りぼっちとなり、これまで願ってきた平凡で「普通」な生活を取り戻すのですが、物語の終盤、霧の心境に大きな変化が生じます。

友人二人との日々を回想するなか、霧は、いつも時間を共有していた二人の存在がもうないこと、そして、一人でいることがいかに退屈で虚しいのかを痛感するのです。目に涙を浮かべながら、霧は次のように自問自答します。
「俺にとって普通じゃなかった日常はあいつらにとっては普通のことで　だんだんそれは　俺にとっても　普通になっていったわけで…」（二二四頁）。
霧は続けます。
「こんなのって　ずるいだろ…」（二二六頁）。
こうつぶやいた次の瞬間、「お前　泣いてんの？」（二二七頁）と竜の声が霧の耳に響きます。カナダに行ったはずの竜が、そして、疎遠になっていたはずのすばるが自分の目の前に立っているのです。こうして、物語は三人の不動の友情と再会というハッピーエンドで締めくくられるのです。
この何気ないやり取りから読者の皆さまは何を感じ取りましたか。
「あいつらにとっては普通のこと」が自分にとっても「普通になっていった」。
異質扱いしてきた二人の友人に対するこの霧の「共感」は、果たして、彼自身がこれまで持ち続けてきた固定観念との決別、新しい考え方を受け入れることを意味しているのでしょうか。
「共感」というプロセスは、あくまで自分とは異なる他者に同調し、彼らを理解することであり、そんな他者を「無償の愛」をもって完全に受け入れることではありません。
霧は決して他人依存症の竜とゲイのすばるの人生と自分の人生を同化させたいわけではありません。この世の中には、自分とは異なる生き方をしている人間がたくさんいる、むしろ、そのことを自覚するために「共感」というプロセスはあるのではないでしょうか。
共感、理解は出来ても、全てを受け入れることはできない。それでいいのではないでしょうか。

だからこそ人間社会は興味深いのです。

改めて、本書を最後の最後まで読み進めてくださった読者の皆さま、この場を借りて心から感謝申し上げます。本書に対するご意見、ご感想、その他どんな他愛ないことでもお話をお聞かせいただければ幸いです。本書のフェイスブックページ、もしくは、次頁に記載している、本書を出版している行路社にご連絡ください。

お問い合わせ先

ご意見・ご感想などお寄せください

行路社

〒520-0016 大津市比叡平 3-36-21

著者紹介

水島 新太郎（みずしま・しんたろう）

1981年、福岡県生まれ。同志社大学大学院アメリカ研究科博士後期課程満期退学。博士（アメリカ研究）。現在、同志社大学、立命館大学、および関西圏の大学数校で、「国際教養基礎論」、「アメリカの歴史」、「言語文化研究」、「英語」等の講義を担当している。専門はアメリカ文化研究およびジェンダー・男性研究。学術論文に "An Intimate Friendship in the Transnational Japanese Shojo Manga: Bromance in Akimi Yoshida's *Banana Fish*" (*Praxis* 24, 2013)、共著論文に " 'Peace Through Understanding' :How Science-Fiction Anime ***Mobile Suit Gundam 00*** Criticizes US Aggression and Japanese Passivity" (***AJGS*** 5, 2012) など、他多数ある。

改訂版 マンガでわかる男性学
ジェンダーレス時代を生きるために

2016年5月10日　初版第1刷発行
2018年4月15日　改訂版第1刷発行

著　者——水島新太郎
発行者——楠本耕之
発行所——行路社 Kohro-sha
520-0016 大津市比叡平 3-36-21
電話 077-529-0149　ファックス 077-529-2885
郵便振替　01030-1-16719
装　画——水島新太郎
組　版——鼓動社
印刷・製本——モリモト印刷株式会社

ISBN978-4-87534-391-2 C3036